CW00429204

GUÍA *urgente* del PADRE *primerizo*

GUÍA *urgente* del PADRE *primerizo*

Rafa Esteve

LAROUSSE

© **texto e ilustraciones** Rafa ESTEVE

dirección editorial
Jordi INDURÁIN PONS

edición
Carlos DOTRES PELAZ

interiores, maqueta y preimpresión
Enric MIR y Marisa UJJA

corrección
Miguel VÁNDOR

cubierta
ONA GRÁFICA

© 2015, 2016, 2019 LAROUSSE EDITORIAL, S. L.
Rosa Sensat, 9-11, 3ª planta – 08005 Barcelona
teléfono: 93 241 35 05   fax: 93 241 35 07
larousse@larousse.es   www.larousse.es

Reservados todos los derechos. El contenido de esta obra está protegido por la Ley, que establece penas de prisión y/o multas, además de las correspondientes indemnizaciones por daños y perjuicios, para quienes plagiaren, reprodujeren, distribuyeren o comunicaren públicamente, en todo o en parte y en cualquier tipo de soporte o a través de cualquier medio, una obra literaria, artística o científica sin la preceptiva autorización.

Tercera edición: 2019
Tercera reimpresión: octubre 2022

ISBN: 978-84-17720-20-9
Depósito legal: B-3543-2019
3E3I

SUMARIO

NO SOLO ERAN FRESAS CON NATA

—Cariño, me apetecen fresas con nata…

—¿Ahora? ¿A las once y media de la noche?

—Sí, creo que tengo un antojo. ¿Te acercas por mí al «abierto las 24 horas»?

Por mucho que mi pareja insistió aquella noche, me negué en redondo a salir en pleno febrero a buscar una tienda donde comprar fresas. ¿Estamos locos o qué? Nueve meses después, pudimos comprobar que no se trataba de un simple antojo, y parece que el destino me lo hizo pagar con creces. Quizás debería haber hecho el esfuerzo y haber bajado a comprar las dichosas fresas, aunque fuera con batín y zapatillas de andar por casa.

Los nueve meses te pasan como si nada, y antes de que te dé tiempo a fugarte al extranjero, aparece una enfermera que te entrega un monito sin pelo que, según dice, es obra tuya. Al ver que tu familia y amigos te dan la enhorabuena, piensas que te ha tocado la lotería; pero, en realidad, te ha caído el gordo de Navidad con los renos y el trineo. Sí, amigo, la enfermera te ha entregado al bebé a cambio de tu libertad; no solo sales del hospital con una boca más que alimentar sino que, además, ahora vas a tener que compartir tu pareja con otro que no le va a perder de vista los pechos ni un segundo, pechos que, por otro lado, tú vas a pasar mucho tiempo sin catar.

Prepárate para recibir consejos de todo el mundo, hacerte amigo de otros papás y estrechar lazos con los padres de tu pareja. Te convertirás en un experto cambiando pañales y prepararás los biberones como un auténtico chef, aunque a tu suegra siempre le parecerá que no lo terminas de hacer bien. También podrás lucir con orgullo en tu camisa la medalla identificativa de todo padre primerizo, y lo mejor es que no tendrás que comprarla, solo tendrás que darle un biberón en brazos al bebé y luego propinarle unas suaves palmaditas en la espalda para que expulse el exceso de aire.

En este libro he tratado de recopilar algunas vivencias personales, consejos y dibujos sobre mi experiencia como padre primerizo, con los que espero ayudar a que te resulte más llevadera esta fascinante etapa que, aunque resulte paradójico, sin duda se convertirá en una de las mejores de tu vida.

AFECTOS Y DEFECTOS

REVOLTILLO EMOCIONAL

Tener un hijo va a ser, probablemente, la situación emocional más impactante de toda tu vida, ya que nada parecido puede generar tal revoltillo de emociones contradictorias en tu estómago. Por un lado, te encontrarás con el amor desmedido hacia el nuevo bebé, amor que, al no ser correspondido de ninguna manera, te generará un vacío existencial difícil de llenar; te sentirás casi como cuando te enamoraste de aquella chica que no te hacía ni puñetero caso en el colegio, solo que en este caso, además, tendrás la obligación de cuidar, limpiar, alimentar y mantener a esta ingrata criatura prácticamente hasta su mayoría de edad. Por otro lado, tendrás que enfrentarte a tu ignorancia supina y falta de preparación sobre la temática, por lo que te sumergirás sin querer en la búsqueda del dichoso instinto paternal del que tanto se habla y que tú no encuentras en tu vida por ninguna parte. Todo ello hará que en ocasiones te consideres un farsante, pues parecerá que no desees la llegada del bebé, o al menos no tanto como tu pareja, a la que parecerá que le hayan inyectado en vena un botijo rebosante de hormonas maternales mezcladas con cafeína y que no tendrá otro tema de conversación en todo el día.

Celos, cansancio, inseguridades, miedo, emoción... pero sin duda, sobre todo, felicidad desmedida. ¿Qué más se le puede pedir a la vida?

El instinto paternal

A todos nos llega, decían. A todos los hombres les llega su momento. Por lo visto, llegas a una edad en la que te florece el instinto paternal; sí, igual que te salen los pelos del sobaco o te despiertas una mañana con un enorme grano en la mejilla. Algunos dicen que depende de la edad, que cuando pasas de los 35 te entran unas ganas locas e irrefrenables de ser padre y tener hijos. Otros, mucho más románticos, por el contrario, defienden que se pone en marcha un cronómetro biológico dentro de cada hombre una vez que este encuentra a la mujer de su vida, y que de alguna manera mágica, y totalmente sorprendente, se acelera si formalizas tu relación por medio de un matrimonio o cualquier otro tipo de festejo.

La cosa es que yo no sentí nada de esto. Puede que se trate de algún tipo de deficiencia genética o de una carencia de algún tipo extraño de vitaminas, o simplemente de que soy un hombre defectuoso de nacimiento y la madre naturaleza me ha restringido de manera aleatoria la capacidad de desarrollar el preciado instinto paternal. No, he de reconocer que no tenía ninguna necesidad biológica de tener descendencia, no había nada en el planteamiento de tener hijos que me hiciera pensar que mi vida iba a ser mejor en ninguno de sus aspectos. Aunque sí que es cierto que, tal vez por herencia o imitación de mis padres, me imaginaba a mí mismo de mayor con dos o tres mocosos correteando a mi alrededor, pero me imaginaba así, mayor, bastante más mayor de lo que ahora soy. Un señor mayor con una gran barba y bastantes más años de experiencia.

Sin embargo, el día que mi pareja y yo decidimos lanzarnos a la aventura de tener hijos, descubrí que estábamos hablando de cosas totalmente distintas. Para mí fue como decidir a qué lugar nos íbamos a ir de vacaciones el próximo verano. Me sentí valiente y maduro por haber sido capaz de afrontar ese paso sin dudar y, acto seguido, me puse a buscar una buena peli entre los 23 canales del televisor. En cambio, para ella fue un momento mágico e irrepetible. Me abrazó con fuerza, se apartó de mí sujetándome por los hombros y, sin decir nada y con lágrimas en los ojos, lanzó un gran suspiro, mezcla de felicidad y emoción. Me besó como hacía tiempo que no lo hacía y se fue corriendo a llamar por teléfono a su madre para contárselo todo. No soy un tío que destaque por ser demasiado espabilado, pero en ese momento detecté que algo fallaba. Parecía que nos hubiesen invitado a cada uno a una fiesta totalmente diferente.

Desde aquel día, mi pareja empezó a comportarse de manera extraña. Empezó a comprar de manera compulsiva revistas de bebés y de decoración del hogar, que se iban esparciendo de una manera sorprendente por todos los rincones de la casa. Comenzó a insistirme, cuando antes nunca lo había hecho, en que nos paráramos delante de todos y cada uno de los escaparates de tiendas de cunas, carritos o ropitas de bebé. Hasta ahí podía llegar a entenderlo, e incluso lo veía como algo normal. Sin embargo, empecé a preocuparme cuando la periodicidad de nuestras relaciones sexuales se vio de pronto influenciada por los ciclos de su menstruación. Según me explicaba, había leído que existían unos días más propicios que otros para concebir al futuro bebé y que, según estos contrastados estudios, teníamos que copular una o dos veces antes de que se produjese la ovulación y otra vez el mismo día que esta se estaba llevando a cabo. Según sus cálculos, esto sucedía 13 días antes de que le viniera el periodo. Así que, tras imputar en mi cabeza todos aquellos datos y resolver algunas operaciones matemáticas mentalmente, llegué a la conclusión de que todo lo que aumentara mis probabilidades de tener relaciones sexuales iba a ser bien recibido por mi parte, por lo que decidí bautizar el nuevo plan como el *Sistema Copulator,* y le dije que me ponía en sus manos para alcanzar con éxito nuestra nueva meta común. Ella, muy tranquila, me enseñó que con su portátil se había creado –en horas de trabajo– un calendario sobre una hoja de Excel en la que ya tenía apuntados los días clave donde aumentaban «enormemente» las posibilidades para concebir. Lo que en un principio me parecía un plan prometedor, acabó resultando un poco frustrante. Pues el hecho de programar la periodicidad de nuestras relaciones sexuales con el Sistema Copulator tuvo sobre mí un efecto inesperado. Saber que «la cosa» iba a suceder sin ningún tipo de riesgo ni lucha por mi parte hizo que parte del juego ya no tuviera la misma gracia. Era como si estuviera participando de delantero centro en un partido de fútbol sabiendo que el equipo contrario se iba a dejar marcar todos los goles. ¡Pero bueno!, ¿por qué es todo tan complicado?

Lo peor de todo fue que, tras el primer mes infructuoso de practicar el supuestamente infalible sistema y con la decepcionante llegada de la menstruación, ella añadió una particularidad al Copulator. Sí, justo cuando terminábamos «el acto», en ese instante mágico al que vulgarmente se le llama el *momento del cigarrillo,* le daba por levantar las piernas formando un ángulo recto con la espalda y dejarlas apoyadas sobre la pared.

–¿Qué haces? –le pregunté yo, extrañado.

–Nada, es que tengo las piernas un poco cargadas… –me respondió mientras se masajeaba las piernas con las manos.

Al cabo de unos días me confesó que en la página web del Sistema Copulator recomendaban esta postura para aumentar las posibilidades de que un óvulo quedara fecundado por la fuerza de la gravedad… ¿Qué? ¿La fuerza de la gravedad? ¡Esto era lo que me faltaba oír! En ese momento empecé a sentirme utilizado, imaginé que mi pareja solo me veía como un pene y unos testículos con patas, ¡yo para ella no era más que una mera herramienta reproductiva! ¿Nos estamos volviendo locos? ¿Dónde ha quedado el amor, el romanticismo y todo lo demás? ¿Esto significa ser padre? ¿Convertirse en un pene con patas?

Tras una larga charla y algunos arrumacos, decidimos abortar el Sistema Copulator y dejar en manos de la casualidad que la magia de la fecundación se llevara a cabo de manera totalmente imprevista y natural. Yo pensé que sería uno de esos machotes que «donde pone el ojo pone la bala» y que en un par de semanas la cosa iba a quedar resuelta, pero, para mi desilusión, y desgarrando por completo mi orgullo varonil, todavía tardé ocho meses en alcanzar el «objetivo» propuesto, y lo más curioso de todo es que la fecundación se llevó a cabo en un mes en el que nuestros trabajos nos absorbieron mucho más de lo normal, dejamos de obsesionarnos con la búsqueda del bebé y por algún extraño motivo, no me preguntéis por qué, en mi cabeza empecé a sentir que, de verdad, tenía ganas de ser padre.

Algunos científicos afirman que el parto se origina en el cerebro del bebé, pues es el que toma la decisión y envía señales tanto a la placenta como a la madre para que esta empiece a segregar oxitocina, que es la hormona que se encarga de facilitar el parto. Por lo tanto, y apoyándome en esta teoría, ¿no es probable que seamos nosotros, con nuestro modesto cerebro, los que, una vez nos consideramos realmente preparados, tengamos la capacidad de decidir el momento preciso en el que ha de quedarse fecundado el óvulo? ¿Será esto a lo que llaman el instinto paternal?

Amor sin condiciones

Parece que fue ayer; lo pienso y todavía se me hace un nudo en la garganta. De hecho, yo era de esas personas que no creía en el amor a primera vista. Era de los que piensan que no se puede querer a alguien de manera desinteresada; opinaba que siempre tenemos que recibir algo a cambio, una especie de «yo te doy si tú me das». También defendía una estúpida teoría que niega, de manera tajante, que un hombre y una mujer puedan ser amigos sin más, sin que uno de los dos esté siempre pensando en tener «algo más que amistad» con el otro, sobre todo en el caso de los hombres.

Todo esto dio un giro de 180 grados el día que nació mi primer hijo, exactamente en el momento del alumbramiento, pues fui uno de esos afortunados padres que ha podido estar presente durante todo el parto. La transformación ocurrió en el preciso instante en el que el ginecólogo, ayudado por un par de matronas, sacó a nuestro bebé a la luz y pude oír por primera vez su llanto. Fue como si todas las ensoñaciones que habíamos tenido durante los anteriores nueve meses hubiesen tocado tierra de golpe y se hubiesen hecho realidad delante de nuestras narices. Tuve la impresión de que algo o alguien oprimía con fuerza mi corazón desde dentro y, no sé si influido por el cansancio, el caso es que arranqué a llorar de manera desconsolada; no lloraba por un sentimiento de pena, ni tampoco de alegría; era algo que no había sentido jamás por nada ni por nadie. De pronto, su primer llanto me hizo ver que nosotros éramos los únicos responsables de su vida, y descubrí que estaba dispuesto a querer y proteger a aquella diminuta criatura por encima de todas las cosas. Ese día comprendí lo que significa el «amor a primera vista».

¿Cómo se puede querer tanto a un ser vivo que no muestra ningún tipo de gratitud hacia nuestra persona? Tú no haces más que decirle cosas bonitas, lo abrazas, le haces muecas graciosas, lo alimentas… En fin, te desvives y tienes la humana esperanza de recibir en correspondencia alguna pequeña muestra de afecto, algo que te dé a entender que él también siente cierto cariño por ti. Pero, ¿qué recibes a cambio? En el mejor de los casos, nada, simple indiferencia. En el peor, lloros desgarradores a altas horas de la madrugada o un oportuno pipí que te da en el ojo justo cuando has terminado de limpiar su anterior caquita y te dispones a ajustarle el octavo pañal del día. Entonces, uno llega a pensar que cualquier perrillo callejero da más alegrías que un bebé recién nacido…

¿Qué sienten los bebés?

Observar detenidamente la indiferencia con la que el bebé ignora la imagen paterna puede llevar a pensar, de manera totalmente equivocada, que aquel carece de sentimientos de manera natural. Podemos creer que su cerebro sale «formateado» exento de toda emoción el día del parto y que, por ese motivo, no demuestra emociones hacia sus progenitores. Pero, en realidad, no es así.

Varios estudios revelan que la emoción principal que manifiestan los recién nacidos es el miedo; más que miedo, podríamos hablar de temor, un temor a cualquier cambio brusco en el entorno (movimientos violentos, exceso de luz, sensación de frío, ruidos fuertes o inesperados…), y también temor a no ver satisfechas sus necesidades primarias (hambre, sueño, comodidad…), que el bebé solo sabe expresar en forma de sobresaltos, temblores, gritos y llantos.

La mayoría de estas expresiones son una búsqueda de seguridad que los padres debemos tratar de proporcionarles. La dificultad, en muchos casos, radica en detectar el origen de las mismas y acertar con la solución adecuada. De hecho, en el mercado existen varios aparatos electrónicos que prometen identificar el motivo por el que lloran los bebés, y según dicen los inventores de los mismos, con un porcentaje de efectividad altísimo. Por lo visto, tan alto, que con ello quedaría justificado el estratosférico precio al que ponen a la venta el utensilio.

Sentimientos a flor de piel

A partir de aquí, empiezan a desarrollarse nuestros sentidos de una manera extraordinaria:

—¿No hueles?
—Creo que se ha vuelto a hacer caca.
—Te toca cambiarle a ti.

—¿La oyes?
—¡Ya está llorando otra vez!
—¿La coges tú?
—Igual se ha hecho pis...

No importa el tipo de persona que fueras antes. Una vez pones un bebé en tu vida te transformas, igual que un gusano se convierte en mariposa. De la noche a la mañana, te has vuelto una especie de experto en paternidad y crianza de lactantes. Tu cerebro, aturdido por el sueño, comienza a mezclar los conceptos que te explicaron en los cursillos de preparación para el parto con los artículos de las revistas para

bebés que te hizo leer tu pareja, y todo ello, con el añadido de los «acertados» consejos que te prodiga tu suegra, hace que te sientas como el Stephen Hawking de la paternidad responsable…, al que nadie más que tú entiende.

Te gustaría ser el padre perfecto, quieres saber de todo y no hay nada que te detenga: preparas el baño, le das el biberón, le cambias los pañales, le sacas los mocos, pero, no contento con todo esto, pretendes sacar tus propias conclusiones, sin contar con que, en la mayoría de ocasiones, tus grandes ideales o tu forma de llevarlos a cabo no resultarán del agrado de tu pareja. Es en este punto cuando parece que dos grandes planetas convergen en sus órbitas precipitándose hacia un choque interestelar.

–Pues yo pienso que es mejor darle primero de cenar. Así, si hace caca, luego la bañamos y se va a dormir limpita…

–¿Qué?, ¿bañarla después? ¿Acaso no sabes que puede darle un corte de digestión? Además, ¿no entiendes que si se baña primero estará más relajada durante la cena y propiciaremos la generación de endorfinas naturales para que luego disfrute de un sueño reparador?

Discusiones siempre cargadas de argumentos, unas veces apoyadas en puras teorías y otras basadas en experiencias propias que no acaban de convencer a las dos partes por igual, lo que termina generando una pequeña lucha de guerrillas en el seno de la familia y que provoca el más bien mezquino sentimiento de que nos alegremos de los fallos en la estrategia de nuestro «rival»:

–¿Ves? ¡Ya te lo dije! Si no le dábamos biberón después del pecho se iba quedar con hambre…

–¿Que no le has puesto un body debajo del pijama? ¡Te dije que tendría frío!…

Todas estas situaciones, unidas a la falta de muestras de cariño por parte del bebé, pueden hacerte pensar en buscar por todas partes el tique regalo para devolver el bebé y cambiarlo por algo que genere menos trabajo, que venga con manual de instrucciones y, sobre todo, que tenga botón de apagado. Un robot de cocina, por ejemplo.

Durante las primeras etapas de la paternidad, en ocasiones podrás llegar a entender por qué en algunas especies animales los padres son capaces de devorar a sus crías al nacer. Pero de la misma manera, te darás cuenta de que en la especie humana, algo que podríamos llamar «amor a primera vista» nos impide llegar a hacerlo.

Transfusión energética

El sonido del despertador se encarga de recordarte que ya es lunes otra vez, que son las siete y veinte de la mañana y que el resto de la población está poniéndose en marcha. Aunque no lo puedas creer, a nadie le importa la «nochecita» que has pasado y a tu jefe no le va a hacer ninguna gracia que te retrases solo porque anoche tuviste que dar un par de biberones a tu hijo, que parece que tiene cólicos, y no te has podido dormir hasta las cuatro y diez de la madrugada...

Nunca imaginaste que la paternidad iba a poner a prueba tu organismo de esta manera. Antes, después de trasnochar siempre disponías de un fin de semana con el que recuperarte tranquilamente tumbado en el sofá, viendo una película sin muchas pretensiones o jugando con la consola o el ordenador. Si salías de fiesta un viernes y durante el sábado te cuidabas un poco, podías volver a repetir esa misma noche sin ningún problema, pues disponías de todo un largo domingo por delante para recuperarte. Pero ahora ya no, ya no existen los sábados, ni siquiera los domingos. Parece que los bebés no entienden de horarios ni distinguen los fines de semana; parece que a ellos todo esto les da igual. No respetan tus ciclos de sueño ni tampoco tus costumbres. Además, da la sensación de que lo hacen adrede. Aunque les hayas dado el biberón con el pijama puesto, ellos esperan a que te pongas la camisa limpia y la corbata para regurgitar sobre tu hombro. Debe de ser una particular manera de mostrar su cariño y agradecimiento por el trabajo bien hecho.

Tras una noche de sueño intermitente, con dos tomas de tu bebé y los llantos que las preceden, un día cualquiera te levantas de la cama. Dejas a tu pareja dándole el pecho y te das una ducha con los ojos cerrados pero intentando no quedarte dormido. Al salir, desempañas el espejo con la manga del albornoz y tratas de reconocer al tío que se esconde al otro lado del cristal. Tus ojos, enrojecidos por la falta de sueño, parecen más pequeños y están sepultados bajo un par de hermosas ojeras. Tampoco ayudan los tres

kilitos que has ganado en estos últimos meses por la falta de ejercicio; francamente, no te ves en el mejor momento de tu vida. De modo que, al volver a la habitación, te sorprendes a ti mismo mirando boquiabierto a tu pareja: sus mejillas sonrosadas y la ternura de su mirada la hacen resplandecer como un sol. Se ha recuperado del parto de una manera prodigiosa, y aunque se ha despertado esa noche dos o tres veces más que tú, su mirada está limpia y relajada, su voz suena dulce y melodiosa mientras transmite seguridad al bebé susurrándole cosas bonitas al oído. Es entonces cuando te haces la inevitable pregunta: ¿Cómo es posible que yo tenga esta cara de pedo y ella parezca recién salida de la película *Pretty Woman*? Vuelves a buscar tu cara en el reflejo de un espejo y, cuando te comparas de nuevo con ella, empiezas a sospechar que está consumiendo algún tipo de droga.

Según parece, a nivel hormonal, el bebé realiza algún tipo de transfusión energética a la madre proporcionándole una fuerza y un aguante físico por encima de lo común. No he sido capaz de contrastar esta teoría con ningún estudio científico, pero, sin lugar a dudas, algo de cierto debe de haber. Esto nos deja a los padres en evidente desventaja, por lo que nos vemos obligados a consumir, sin ningún tipo de éxito, complejos vitamínicos cargados de ginseng, jalea real y otras mandangas por el estilo que nos aceleran las pulsaciones pero que no consiguen, ni por asomo, hacer que nuestra apariencia física mejore.

Adiós a Peter Pan

Uno de nuestros principales problemas tiene algo de relación con el conocido *síndrome de Peter Pan*. Si nos fijamos en la evolución de la mujer, podemos comprobar que durante los nueve meses de embarazo algo cambia en su vida. Tanto a nivel físico como hormonal, su cuerpo se transforma hasta alcanzar unas dimensiones descomunales; se le hinchan los pechos, los pies y las manos. Hormonalmente, su cuerpo se va preparando para lo que está por venir, dándose lugar, en la mayoría de los casos, el fenómeno conocido como *síndrome del nido*, por el que, pocos días antes del parto, la madre se pone de manera compulsiva a ordenar la casa y decorar la estancia del bebé, llegando a extremos como pintar de nuevo la habitación o subirse a una escalera de mano para cambiar la lámpara de techo.

Y mientras tanto, ¿qué nos pasa a nosotros? ¿Qué cambia en nuestras vidas? No cambia absolutamente nada. Los futuros padres seguimos siendo los mismos *frikis* que éramos nueve meses atrás. Seguimos haciendo nuestra partidita de los viernes, seguimos quedando normalmente con los amigos, nos echamos de vez en cuando una siestecita, vamos al gimnasio, al cine o disfrutamos de cualquier otro *hobby*, sin pensar en exceso en el bebé que está por llegar. Aunque nos intenten preparar con cursillos, revistas y libros, nuestra mente, de manera casi inconsciente, reserva un espacio dedicado al futuro miembro de la familia y le asigna un espacio limitado que no interfiere, de ninguna manera, en el resto de nuestras ocupaciones.

Es por esto que, tras el parto, durante un par de semanas tratamos de seguir manteniendo el ritmo de vida que llevábamos antes. Nos creemos superhéroes, pensamos que vamos a poder con todo, y es aquí donde realmente nos equivocamos. Empezamos por ir con el bebé a los mismos lugares a los que solíamos ir antes: bares, restaurantes, cafeterías… Entonces nos damos cuenta de que todo nos molesta; o, mejor dicho, molesta a nuestro bebé. Nos quejamos del volumen de la música, de los ruidos, de los olores… Aun así, tratamos de meternos con el carrito en cualquier lugar, e incluso se nos ocurre la genial idea de aparecer con el bebé a cuestas en la partida de los viernes. Pensamos que nuestros amigos estarán encantados de tener cerca una cosita tan mona, pero parece que, en lugar de esto, se sienten molestos –según tu punto de vista, de manera incomprensible– porque les has obligado a salir a fumar a la calle.

Dice un proverbio japonés: «Aprende a doblarte como el bambú ante las tormentas, pues si tratas de permanecer erguido terminarás por quebrarte». Casi todos los padres primerizos caemos en el mismo error y terminamos por partirnos en dos. En la mayoría de ocasiones, somos incapaces de reconocer que nuestra vida ha cambiado. Nos enfrentamos a la realidad negando que la paternidad y la responsabilidad que ella conlleva nos aterran y nos recuerdan que nos estamos haciendo mayores.

Con esto no quiero decir que lo bueno se haya terminado. ¡Ni mucho menos! Simplemente que tenemos que adaptarnos a esta nueva vida. Tenemos que entender que hay una nueva personita que depende totalmente de nosotros y que, lo miremos como lo miremos, va a requerir un cambio importante en nuestras costumbres cotidianas.

Ha llegado el momento de coger el toro por los cuernos. Cuanto antes reconozcas que tu vida ha cambiado y que nunca va a volver a ser como era, antes empezarás a disfrutar de tu nueva situación y harás que tu paternidad se convierta, sin duda, en la mejor experiencia de tu vida. Procuraré convencerte de ello en los próximos capítulos.

YO Y EL ENTORNO

Queda claro que tu situación personal ha cambiado, pues tienes una nueva responsabilidad que ocupa gran parte de tu día. El foco de atención en tu vida se centra ahora en esa criaturita que no levanta un palmo del suelo; tu familia y otros seres queridos te han relegado a un tercer o cuarto puesto sin consultarte y sin siquiera darte tiempo de reaccionar. Tu pareja, tus padres e incluso tus amigos no te tratan igual desde que llegó el bebé y es por ello que los celos y otros sentimientos contrapuestos invaden tu cabeza continuamente. En tu entorno, solo se habla de bebés, biberones, papillas y cacas de colores. La cantidad de productos y accesorios que necesita el bebé para llevar a cabo cualquier tarea rutinaria te confunden y te hacen pensar que todo es mil veces más complicado de lo que es en realidad. Piensas que tu cuenta corriente no va a poder soportar esta situación y, para colmo, un personaje inesperado, tu suegra, se está entrometiendo en tu vida más de lo que nunca habrías podido imaginar.

Con este panorama, parece imposible que alguien o algo pueda hacerte feliz, pero es entonces, en el momento más bajo del día, cuando una sonrisa o tan solo una mirada del recién llegado es capaz de iluminar de nuevo tu vida. Y no, lamento si te he podido confundir con mis palabras, pero no estoy hablando en absoluto de tu suegra…

Rey destronado

Un nuevo amor ha hecho su entrada con fuerza en la familia y, según parece, no tiene ninguna intención de marcharse. Sí, estoy hablando de tu bebé, del amor de tus ojos, pero también el amor de los ojos de tu mujer, de tus padres y del resto de la familia. Tu entorno se ha transformado definitivamente y una sensación parecida a los celos aflora con fuerza desde tu interior.

En casa

Antes de la llegada del bebé, el salón era tu remanso de paz, el reposo del guerrero. Cuando volvías de trabajar, abrías una cerveza fría, pinchabas en el tocadiscos un viejo vinilo de los Doors y te repantingabas en el sofá a ojear el último número de tu revista favorita. Las cenas con amigos y las tardes tranquilas de película en el sofá y con la manta se sucedían con apacible normalidad…

Ahora todo es distinto. Nada más abrir la puerta de casa, un enorme carrito de bebé con cuco y amortiguación delantera te da la bienvenida y te recuerda lo fácil de manejar que es por la calle, motivo por el cual no cabe en ningún otro lugar de la casa.

La cocina

Entras en la cocina, en busca de tu cerveza fría, y al abrir la puerta, tiras sin querer cuatro biberones de diferentes colores que se secaban en el escurreplatos junto al esterilizador de microondas. Luego te das cuenta de que esta mañana no tuviste tiempo de poner cervezas a enfriar en la nevera; así que buscas en la despensa y descubres que en el estante donde antes almacenabas las bebidas han aparecido un sinfín de nuevos productos con los que no contabas: enormes botes de leche en polvo, varias cajas de cereales para papilla y toneladas de agua embotellada baja en sales minerales, para hacer los biberones, tal y como mandan los cánones.

El salón

Lo que era tu santuario también ha cambiado. La canción *Soy una taza y una tetera* te da la bienvenida desde el equipo de música y la mantita de actividades en forma de caracol, repleta de fantásticos relieves para despertar los sentidos de tu bebé, se encarga de que tropieces y caigas de bruces contra el moisés donde ahora descansa, durante el día, el nuevo propietario de la vivienda. En la tele, en lugar de tu serie favorita, reproducen sin parar los episodios de la colección *Baby Einstein* con los que estimuláis el cerebro de la criatura, esperando que el día de mañana se convierta en un auténtico superdotado. En tu cabeza, una pregunta recurrente no deja de golpearte: ¿Y a mí, quién me estimula?

El baño

Tu sala de lectura, el refugio de tu intimidad o rincón de meditación, se ha convertido ahora en un pequeño parque temático. Una bañerita plegable de color verde pastel con su cambiador a juego ocupa una tercera parte del cuarto de baño y cubre en su totalidad el bidé. A nadie le importa si tenías la costumbre de utilizarlo o no. El bebé no lo necesita y eso es un motivo más que suficiente para eliminar este objeto de tu vida diaria y relegarlo a servir única y exclusivamente como desagüe provisional para los baños diarios del nuevo rey de la casa.

Donde antes tenías tus revistas, podrás encontrar docenas de pañales y un montón de cremas y productos necesarios para la correcta higiene de «su majestad». Si tenías por costumbre leer algo durante tus deposiciones, tendrás que conformarte con leer la etiqueta de un bote de crema para las irritaciones de sus tiernas nalgas o las características técnicas de los pañales para lactantes.

El coche

Yo era de los que decía la frase lapidaria «En mi coche solo se escucha buena música», y fanfarroneaba ante mis amistades enseñándoles algunos de mis CDs favoritos de recopilaciones. El volumen al que escuchaba la música era tan alto que tenía que estar continuamente recolocando el retrovisor delantero, pues vibraba al ritmo del *subwoofer*. Sin embargo, tendríais que verme ahora: los «Cantajuega» suenan de manera predefinida y a modo de bucle infinito cada vez que arranco el motor. He perdido totalmente el control de la situación; de hecho, alguna vez, me he dado cuenta de que llevaba veinte minutos tarareando e incluso cantando a viva voz la canción *A mi burro, a mi burro le duele la cabeza*, sin llevar a la niña a bordo. Al parecer, tu flamante utilitario se ha convertido en una pequeña feria ambulante, pues una redecilla se encarga de retener lo que podría ser una tómbola de productos específicos para mantener entretenido al bebé durante el viaje: sonajeros, peluches, mordedores… Si rebuscas bien, seguro que encuentras la muñeca Chochona.

Tu pareja

Antes, ella reparaba y se preocupaba por ti. Siempre te reservaba el mejor de sus besos e incluso, en ocasiones, te hacía algún regalo sorpresa. Por lo visto, ahora te has convertido, de la noche a la mañana, en el portero suplente del equipo. De hecho, mañana juega tu equipo, pero el entrenador no te ha convocado. Parece que ahora ella solo tiene ojos para el bebé. «¿A quién quiere mamá? ¿Quién es la cosa más bonita de la casa? ¿A quién le voy a comer el piececito?»... Esta última pregunta confirma que la cosa no va contigo, ya que tus «piececitos» no han sido nunca la parte más apetitosa de tu cuerpo para tu pareja, y es entonces cuando, algo cegado por los celos, te acercas a ella agitando los brazos y gritando con voz de tonto: «¡A mí!, ¡a mí!, ¡a mí!».

Tu pareja se pasa todo el día atendiendo las necesidades del bebé, le hace carantoñas, lo limpia con cuidado, lo mima, y lo que más celoso te pone, sin duda, es cuando le pregunta con voz juguetona: «¿Quiere teta mi cosita bonita?». Es entonces cuando tu cabeza, a punto de estallar, se pregunta con tono desesperado: «¿Y a mí, cuándo me toca?».

Antes discutíais por un montón de temas diferentes, no había tiempo para aburrirse. En cambio, el noventa por ciento de las discusiones actuales giran en torno a la educación y los cuidados del bebé. ¡Parece que no haya otro tema de conversación en el mundo!

Tus padres

Cuando ibas a comer a casa de tus padres, tu madre, tras repasarte de arriba abajo, te recordaba lo flaco que estabas y, apretándote las mejillas, te hacía prometer que ibas a comer más. Para ratificar su observación, le preguntaba a tu pareja: «¿Acaso no le das de comer?». Tu padre, por su lado, te preguntaba por el trabajo o charlabais animadamente de fútbol o de política. Ahora ya nada es igual. Desde que llegó el bebé es como si no existierais ni tú ni tu pareja. Cuando se abre la puerta, no os da tiempo ni de decir hola: os arrebatan al bebé de las manos entre besos y carantoñas, alejándolo de vosotros y haciendo que os sintáis totalmente invisibles. Los primeros días te encantaba, pues, debido a la emoción del parto, todavía sentías al bebé casi literalmente como una prolongación de tu ser. Pero, pasados unos días, empiezas a echar en falta un poco de amor paterno. No pides demasiado, pues sabes que ya no eres el protagonista y lo asumes, pero quizás te gustaría que alguien se parara, aunque fuera por un segundo, a dirigir la mirada hacia el rincón en el que te encuentras relegado y con ojos comprensivos te preguntara: «¿Y tú, cómo te encuentras?».

Tener celos de tu bebé puede parecer un comportamiento infantiloide y pueril, pues, si lo piensas fríamente, acabas de ser destronado de tu reino por un ser que no levanta ni dos palmos del suelo; un ser al que, por otro lado, adoras, ¡por supuesto! Pero ese ser te ha privado de manera no intencionada de todos los privilegios que conseguiste tras muchos años de duro esfuerzo. Ni el mejor psicólogo te podría aconsejar cómo afrontar con plena garantía el panorama que se nos plantea. Por ello, te aconsejo que no te agobies con la situación, te recomiendo que respires hondo y, cuando creas que ya no puedes aguantar más, le digas con ojos tiernos y una sonrisa amable a tu pareja: «Cariño, yo también quiero teta».

El síndrome del utillero

Parece exagerado que tengas que cambiar de coche cuando te encuentras a la espera de un bebé. Las expresiones «monovolumen» o «maletero espacioso» no formaban parte de tu diccionario cuando ojeabas los catálogos; sin embargo, llegado el momento, te planteas seriamente la posibilidad de adquirir una furgoneta o un pequeño camión para mudanzas.

Pues pasa algo parecido para dar un simple paseo. ¿Cómo es posible que un ser tan diminuto necesite tantos complementos para salir a la calle? Es un misterio, pero lo cierto es que salir de casa con el nuevo miembro de la familia requiere casi la misma preparación que la necesaria para llevar a cabo una expedición por el desierto del Sahara... O eso nos parece a los padres primerizos. Por ello deberás tratar de sistematizar tus salidas al máximo, pues, de no ser así, cuando estéis listos para partir ya será la hora de volverse para casa.

La bolsa para el bebé

Prepárate para sufrir el síndrome del utillero, pues no te vas a separar de la bolsa para el bebé en mucho tiempo, y se va a convertir en una herramienta imprescindible de tu día a día como padre primerizo. Al principio te sorprenderá el gran tamaño de la bolsa cuando está vacía, pero más adelante entenderás el porqué de su tamaño y podrías llegar a plantearte sustituir la tuya directamente por una maleta o, ya puestos, por un gran baúl de viaje.

Si tienes la oportunidad de participar en el proceso de decisión antes de adquirir una, procura, ante todo, que la bolsa de bebé resulte cómoda de transportar. Te recomiendo que elijas una con asas estilo mochila, de manera que puedas cargar con ella cómodamente y evitar así posibles dolores lumbares.

Elegir unos motivos y colores discretos puede ser, a la larga, una baza a tu favor, pues va a formar parte de tu estética paternal durante los próximos tres años, como mínimo.

Accesorios imprescindibles

Las corrientes educativas actuales promueven que los bebés estén continuamente ocupados y motivados. Por ello, si queremos ser unos padres de «alto nivel», debemos preparar nuestra bolsa de manera concienzuda. Hagamos un chequeo rápido de los objetos imprescindibles:

Alimentación: biberones de leche y agua; dosificadores de leche en polvo y cereales; potitos de varios sabores; baberos (sí, en plural).

Distracciones: chupete y chupetes de recambio (dos como mínimo); sonajero, mordedores y peluches; mochilita con otros juguetes, lápices de colores y libros para colorear (según la edad).

Higiene: pañales (siempre más que menos); sacamocos (¿no sabes qué es?; más adelante te lo cuento); toallitas de bebé (no sabrás vivir sin ellas); cambiador de viaje (no pensarás cambiar al bebé sobre el capó de un coche, ¿verdad?).

Abrigo y vestimenta: mantita, gorro, guantes y bufanda para abrigar al bebé durante el invierno, que sustituiremos en verano por una sábana fina, crema solar y un gorrito de playa.

Los «porsis»

Desconocía este término hasta que tuve la osadía de salir a la calle solo con mi hija:

–Coge otra chaquetita por si refresca.

–Prepara otra muda por si tenemos un escape y se pone el bebé perdido.

Y tú te preguntas: ¿una muda de todo? Sí, créeme, ¡de todo! También de calcetines.

Otro *porsi:* un termómetro para tomarle la temperatura al bebé varias veces durante tus salidas, por si la fiebre os sorprende a la vuelta de la esquina. Para casos de fiebre siempre debes llevar, a modo de emergencia, un bote de Dalsy® y otro de Apiretal®. ¿Es necesario llevar los dos? Sí, coge los dos, luego te cuento.

Puestos a prevenir, no estará de más que te aprovisiones con un pequeño botiquín, por si el bebé es víctima de pequeñas rozaduras, heridas abiertas o moratones. En él no pueden faltar gasas esterilizadas y, por si acaso, puntos de sutura adhesivos y algún tipo de antiséptico como la clorhexidina.

Hay padres primerizos con medalla de oro que llevan siempre una toalla de playa, por si el bebé quiere sentarse a jugar en el suelo sin mancharse; aunque quizás esto ya es pasarse, ¿no?

A grandes rasgos, ya tenemos preparada nuestra bolsa de bebé, pero no, aún no estamos listos...

El carro, tu principal aliado

Elegir un buen carrito de bebé será uno de los factores clave para el éxito en tus expediciones como primerizo, pues cumplirá las funciones de transporte y de centro de operaciones. Como punto de partida, deberás elegir un carro robusto que soporte como mínimo 30 o 40 kilos de accesorios adicionales sin tener en cuenta el peso del bebé. En el mango del carro colgaremos principalmente la bolsa del bebé, pero poco a poco, tal y como vayas cogiendo confianza, terminarás colgando todo tipo de artilugios: portachupetes, chaquetas, su mochilita de los juguetes... hasta sobrepasar el límite de peso establecido por el fabricante y consiguiendo que se produzca el fenómeno físico conocido como *momento de vuelco*, en el que el carrito se vuelca literalmente cuando tu suegra saca al bebé del carro para besuquearlo.

La mayoría de carritos disponen de una bandeja de lona en la parte inferior, pensada inicialmente para almacenar los elementos de abrigo del bebé, pero que aprenderás rápidamente a utilizar como elemento de transporte para cargas pesadas: juguetes grandes, botes de leche en polvo o la compra de toda la semana. Cargar esa zona de objetos pesados también es un buen sistema para hacer contrapeso y evitar así el incómodo momento de vuelco antes mencionado.

En la actualidad, los carritos de bebé disponen de más prestaciones y accesorios que cualquier utilitario; por ello, y dependiendo del estilo de carrito que elijáis, podréis optar por unos u otros. Estos son algunos de los más comunes:

Capota de lluvia. Se trata de una funda de plástico que permite cubrir por completo al bebé y el carrito como si de un bocadillo envuelto en papel film se tratara. El montaje de estas fundas, en algunos modelos, puede llegar a ser igual de complejo que montar un mueble sueco o resolver un cubo de Rubik; por ello, asegúrate de elegir el modelo adaptado a tu carrito y de pedir una demostración de su montaje al vendedor.

Parasol o sombrilla. Es un complemento indispensable, que impedirá que tu bebé muera abrasado de manera fulminante por los rayos del sol.

Cubrecochecito o saco para carritos. Es el accesorio que sin duda más envidia nos produce a los padres, pues nos imaginamos a nosotros mismos siendo paseados por las frías calles de la ciudad en el interior del carrito y cubiertos por esta acolchada pieza de tacto suave y cuya misión es proteger al bebé del frío y otras condiciones meteorológicas adversas.

«Matasuegras»

Me parece muy injusta la mala fama que ha adquirido la madre de nuestra pareja en la historia de la humanidad, ya que en torno a ella se ha levantado un tópico obsoleto y, desde mi punto de vista, anclado en antiguos ideales machistas: chismosa, metomentodo, cotilla, pesada, descarada, gorda, fea… ¿No os parece que estos adjetivos están fuera de lugar en pleno siglo XXI? Considero que todo parte de un problema educacional, pues, desde bien niños, en las piñatas o en las fiestas de fin de año se nos regalaba un inofensivo juguete formado por un tubito de papel y una trompetita al que algún ser maligno y despiadado bautizó con el desafortunado nombre de *matasuegras*. ¿Cómo no vamos a asociar de manera inconsciente la palabra suegra con algo que debe ser aniquilado?

Probablemente, al que se le ocurrió elegir semejante nombre para un juguete infantil también formaba parte del grupo de hombres que se inventaron la bendita superstición que impide al novio ver el vestido de la novia antes de la boda. ¿Os imagináis que tuviésemos que acompañar a nuestra pareja a elegir el vestido de boda? Pero, ¿realmente alguien se cree que hacerlo da mala suerte? Es evidente que todo forma parte de una estrategia bien hilvanada por los novios para evitarles tener que pasar por este suplicio prenupcial. Volviendo al tema de las suegras, es cierto que nosostros podemos elegir en la mayoría de las ocasiones a la persona con la que queremos compartir el resto de nuestras vidas. Algunos hombres eligen y otros son elegidos, pero si algo debemos tener claro es que no podemos elegir a la familia de nuestra pareja, y mucho menos a nuestra suegra, nuestra madre política, una segunda madre de la que no hemos nacido, a la que no hemos elegido y, en ocasiones, a la que ni siquiera apreciamos. Dicho esto, ¿realmente son tan malas las suegras como las pintan? ¿Hacen honor a su fama?

Una visita inoportuna

Son las cuatro menos cuarto de la tarde de un sábado de diciembre, habéis pasado una noche complicada de lloros, toses y biberones, pero por fin, tras mecer al bebé por toda la casa, has conseguido que se te quede dormido en brazos. No te atreves ni siquiera a encender la tele para no interrumpir su sueño. Con sumo cuidado, te sientas en el sofá y tu pareja os tapa a los dos con una manta. Cierras los ojos, y sintiendo la respiración del bebé sobre tu pecho, te preparas para tener una experiencia extrasensorial y dejarte caer en brazos de Morfeo. Justo en el momento en el que pierdes el conocimiento, te sobresalta el ruido de unas llaves abriendo la puerta de entrada de tu casa. Das tal respingo que despiertas al bebé y, totalmente aterrorizado, se te pasa por la cabeza pensar que algún desaprensivo ha forzado la cerradura y se dispone a desvalijar la casa con vosotros dentro. El bebé se pone a llorar y, en medio de la confusión, una voz de mujer grita con alegría desde el recibidor:

—¿Dónde está la cosa más bonita del mundo entero?

Tú, sorprendido y habiendo reconocido la voz de tu suegra, lanzas una intensa mirada asesina a tu pareja mientras abres mucho los ojos queriéndole decir: «¿Le has dado unas llaves de nuestra casa a tu madre?». A lo que tu pareja responde con esa mirada de «ya, luego te lo explico», mientras se dispone a darle a su madre un caluroso abrazo de bienvenida. Tú te quedas sentado en el sofá, con el bebé llorando en brazos y tratando de contener la ira, mientras tu cara refleja la frustración y la poca alegría que te está causando el momento.

—¿Qué le hacen a mi cosita bonita? —dice entonces tu suegra, arrancándote al bebé de los brazos—. ¿Acaso papá no te trata bien? Ven con la abuelita, que es la única que te comprende —le susurra al bebé mientras lo aleja de ti y te deja literalmente derrotado en el sofá.

Es entonces cuando cobra sentido la historia que leíste en Internet sobre el origen del matasuegras, que, según cuentan, fue un invento de la KGB para eliminar personalidades importantes durante las fiestas y recepciones introduciéndole a la trompetilla un dardo envenenado en el interior. Al parecer, el inventor del artilugio se emborrachó con vodka para celebrar el éxito del mismo y, sin querer, lo puso a prueba causándole la muerte a su propia suegra.

Toma y daca

Ojalá tuvieras a mano un dardo impregnado en curare, uno de esos venenos con que recubren las puntas de las flechas algunos pueblos amerindios. En este momento, para ti no existe peor enemigo que ese ser capaz de interponerse entre tu pareja, tu bebé y tú.

Pero lo peor viene cuando tratas de hablar con tu pareja sobre su madre. Entonces tus palabras se convierten de manera inmediata en la pared de un frontón que te devolverá la pelota con el doble de fuerza.

—Oye, ¿no te parece muy fuerte que tu madre le compre ropa con puntillas a la niña y la saque a pasear con ese lazo rosa en la cabeza?

—Pues por lo menos mi madre la lleva a pasear y le compra ropa, no como la tuya, que no hace más que criticar cada cosa que hacemos y además no mueve un dedo por echarnos una mano...

Es justo en el momento en que se menciona a tu madre cuando la ira se convierte en una furia incontrolable y te viene a la cabeza la *Glosa a la soleá*, de Rafael de León:

> *Menos faltarle a mi mare,*
> *tó te lo consiento, serrana,*
> *menos faltarle a mi mare,*
> *que a una mare no se encuentra*
> *y a ti te encontré en la calle.*

Llegados a este punto, tratar de contestar algo que no desemboque en tragedia es prácticamente imposible, pues eres incapaz de ver que, para ella, su madre es igual o quizás más importante que para ti la tuya. Cualquier crítica que plantees, por muy bien intencionada o argumentada que te parezca, va a ser un motivo más que suficiente para que pases una noche, como mínimo, durmiendo en el sofá. No obstante, en otras ocasiones es ella la que inicia la crítica hacia su madre:

—Mira que le he dicho veces a mi madre que no le deje comer chucherías entre comidas.

—¡Es verdad! —añades, animado—. ¡Siempre que pasa un día con tus padres nos hace lo mismo!

—¿Ya estás otra vez? Pues por lo menos mis padres nos hacen el favor de cuidarla, porque los tuyos…

La batalla comienza de nuevo, al pensar erróneamente que sus palabras habían abierto la veda y te permitían ofrecer tu infeliz opinión sobre los hechos, sin ser consciente de que las cosas no funcionan de esta manera. Ella puede criticar a su madre todo lo que quiera, pero solo lo puede hacer ella; todo lo que salga por tu boca en ese momento se va a volver en tu contra de manera despiadada.

Convierte a tu suegra en tu mejor aliado

Diferentes estudios científicos sostienen que la suegra es un reflejo aproximado de lo que será tu pareja cuando sea mayor, así que, en lugar de tratarla como a un enemigo al que combatir, piensa en cogerle algo de cariño y ponerla de tu parte. Dale una patada a tu orgullo y dile algo bonito a tu pareja sobre su madre, agradece cada consejo proveniente de ella, halaga sus guisos y, por encima de todo, valora cada rato que cuide de vuestro bebé, pues, aunque no lo creas, te costará encontrar a alguien que cuide de tus hijos con tanto cariño y dedicación como ella.

Para lograr tal propósito y que la suegra no sea un motivo de discusión permanente, allá van unos consejos:

• Nunca hagas una crítica directa hacia los padres de ella, pues se volverá con el doble de fuerza hacia los tuyos.

• Si ella se queja de sus padres, limítate a escuchar. Incluso un simple movimiento afirmativo con la cabeza puede ser fatal.

• Si tu suegra te pide un juego de llaves, no le des la del portal; dile que la has encargado pero tardan en hacer la copia porque es un modelo difícil de conseguir. Así tendrá que llamar al telefonillo y te dará unos minutos para reaccionar ante su presencia.

ZAFARRANCHO

NOUVELLE CUISINE

Cuando nos convertimos en padres primerizos, tratamos de asumir de golpe y porrazo todos los conceptos de nutrición que nos pautan los pediatras, pero cuando los mezclamos con los consejos de la tele, las clases magistrales de la suegra y las recomendaciones de los amigos, nos convertimos en auténticos «integristas» de esta peculiar *nouvelle cuisine*, una comida que, en realidad, en la mayoría de ocasiones no ofreceríamos ni a nuestro peor enemigo pero que, sin embargo, ofrecemos sin ningún escrúpulo a nuestro bebé: biberones con grumos de cereales, papillas viscosas y carnes hervidas que tratamos de presentar de manera divertida... y que, la mayoría de veces, acaban formando un bonito estucado sobre la pared.

Está claro que tú serías capaz de sobrevivir el resto de tu vida a base de pizzas y bocadillos, pero, a partir de ahora, la salud y el crecimiento de otro ser humano va a depender de tus habilidades culinarias, y te advierto que no se va a conformar con cualquier cosa. Si ya te gustaba cocinar, estás de enhorabuena, pero, si no, ha llegado la excusa perfecta que estabas esperando para ponerte manos a la obra, colocarte el gorro y el mandil y abrir tu mente a la fabulosa *nouvelle cuisine*.

Bibes al dente

Yo pensaba que la fase de la lactancia iba a estar chupada, pues preparar un poco de leche caliente y meterla en un biberón no parecía un trabajo demasiado complicado. Por ello, cuando la pediatra nos dijo que la niña ya podía comenzar con las leches preparadas, me hice el valiente y, dando un paso al frente, le dije a mi pareja: «Tranquila, que de los biberones se encarga el nene. Así, tú podrás descansar». La verdad es que no tenía ni idea de dónde me estaba metiendo.

Lo primero que hice fue acercarme a mi farmacia de confianza para abastecerme de biberones y algo de leche. En mi mente estaba clarísimo, me sentía un padre modelo. Al entrar, me sorprendió que las dos señoras que esperaban delante mío a ser atendidas me dejaran pasar primero, pero hinchado como un pavo le dije a la farmacéutica:

—Buenos días, quería dos biberones y leche para bebés.

La farmacéutica me miró con cara de sorpresa y, con una mueca burlona, me preguntó:

—Primerizo, ¿no?

¿Tanto se me notaba? Por la cara de diversión de las dos parroquianas, creí entender entonces por qué me habían dejado pasar delante. Los primerizos debemos de tener una «jeta» inconfundible.

—Mmm, sí. Pero... ¿qué tiene eso que ver con mis biberones?
—Bueno, pues lo primero es que existen mil tipos distintos de biberones, tetinas y leches para bebé. ¿Cuántos meses tiene tu bebé?

—Tiene cuarenta y dos días, 9 horas y 37 minutos —respondí, con intención de hacerme el gracioso, por un lado, y de demostrar lo controlado que lo tenía todo, por el otro.

La verdad es que era tan primerizo que, cuando nació mi hija, contaba emocionado cada minuto de su vida. Me propuse decir siempre su edad de esta manera hasta que cumpliera los dieciocho años, pero perdí la ilusión por agotamiento a partir de los tres meses y medio.

—Bueno, pues necesitarás como mínimo tres biberones y... ¿Tenéis esterilizador?

—¿Esterili... qué? ¿No vale el lavavajillas?

Por lo visto, durante los 6 primeros meses de vida, hay que tratar de preservar al máximo la esterilidad de todo lo que ingiere el bebé con el fin de evitarle posibles trastornos intestinales.

—Además, necesitarás un limpiador de biberones y un limpiador de tetinas.

Según me explicó la buena señora, ayudada por las otras dos clientas, el proceso a seguir es el siguiente:

1. Lavarse bien las manos hasta la altura de los codos antes de tocar cualquiera de los accesorios que van a entrar en contacto con la leche del bebé.

2. Desmontar completamente los biberones y las tetinas y **limpiar bajo el grifo con agua y jabón** el interior y exterior de cada una de las piezas. Para ello, debemos utilizar un limpiabiberones y un limpiatetinas.

3. Montar las tetinas con su rosca y ponerles la tapa antes del proceso de esterilización. Esto se hace para no tener que tocar las tetinas con los dedos una vez finalizado el proceso.

4. Proceder a la esterilización de todas las piezas, incluidas las cucharas de plástico que vienen en el interior de los botes de leche en polvo.

También me explicaron que podía elegir entre diferentes procesos de esterilización:

1. El hervido tradicional. Basta sumergir en agua hirviendo todas las piezas durante al menos diez minutos y listo. Barato, pero bastante laborioso.

2. Esterilización en frío. Para este sistema, se sumergen los cacharros en agua fría y se introduce una pastilla esterilizadora en su interior. Huele mucho a desinfectante, pero resulta muy útil, por ejemplo, si vais de camping.

3. Esterilizadores de vapor. Se trata de electrodomésticos que permiten la esterilización de hasta seis biberones en su interior. Son recomendables si no se tiene microondas. Un poco caros.

4. Esterilizadores de microondas. Son simples recipientes de plástico en los que se meten los productos que se quiere esterilizar con un poco de agua en su interior. Su funcionamiento es sencillo, pero requieren de un microondas.

Tetinas

Las tetinas de los biberones tienen unas válvulas u orificios bajo la rosca para permitir la entrada de aire en el biberón. Si el aire no entra se genera una presión inversa y el bebé traga aire en lugar de leche, lo que le puede producir trastornos estomacales. Por ello, debes intentar no apretar demasiado la rosca del biberón y comprobar que, tras cada succión del bebé, se introducen burbujitas de aire en el interior del biberón. También hay que tener en cuenta que algunas tetinas disponen de varias posiciones que regulan la cantidad de líquido que el bebé va a ingerir. Suelen ir numeradas del uno al tres, y deberás ir subiendo de posición conforme crezca la criatura.

Sin darme tiempo de asumir todos estos conceptos, la boticaria sacó de la vitrina una veintena de biberones de diferentes formas, tamaños y colores, y los extendió sobre el mostrador. Yo pensé que simplemente tenía que elegir el biberón que más me gustara o cuyo diseño combinara mejor con el carro del bebé, pero no, en el mundo de los primerizos no hay nada fácil. Las dos clientas y la farmacéutica se lo estaban pasando bomba, pero yo estaba a punto de echarme a llorar.

—Primero, tienes que decidir el tipo de tetina que quieres para tu bebé, de silicona o de látex.

—¿Qué diferencia hay entre una y otra? —pregunté, asustado.

—Pues mira, la silicona no absorbe ningún tipo de líquidos, por lo que no se deforma, y tampoco absorbe olores con el paso del tiempo.

Mientras decía esto, apretaba con los dedos una tetina de silicona totalmente transparente y de apariencia rígida.

—Las de látex son más porosas, pero es necesario cambiarlas más a menudo porque absorben olores y tienden a deformarse con el paso del tiempo —dijo tranquilamente, mientras imitaba con la mano la boca de un bebé succionando de la tetina.

—Entonces, ¿cuál elijo?

—Eso va por gustos, cada niño es un mundo.

Jugando mentalmente a pito-pito-gorgorito, elegí tres biberones con tetina de silicona, dos botes de leche en polvo para lactantes, el esterilizador de pastillas y un limpiador de biberones con limpiador de tetinas oculto en el mango. Podría contaros que mi vuelta a casa fue un rotundo éxito, de no ser porque mi pareja me hizo volver a cambiar los biberones por otros de látex y las pastillas por un esterilizador de microondas.

La prueba de fuego

Una vez creí tener el arsenal preparado y esterilizado, lo dejé todo listo en la bancada de la cocina, a la espera de la siguiente toma de la criatura.

Esa noche tuve pesadillas. Soñé que me encontraba encerrado en el interior de un biberón gigante lleno de leche caliente. Lo más curioso es que mi única preocupación en aquella horrible situación era no contaminar la leche con mi cuerpo. Estaba totalmente *emparanoiado*.

El llanto de la niña me despertó a las tres y diez de la madrugada. Sin apenas abrir los ojos, fui dando tumbos hasta la cocina, donde me esperaban todos los utensilios necesarios para la preparación de un «bibe al dente».

Introduje en el microondas el biberón, con la medida correcta de agua embotellada baja en sodio. Mientras, me dispuse a abrir el bote de leche en polvo. Mi gran sorpresa fue que la cuchara para medir las dosis de leche estaba totalmente enterrada en el interior del bote. Es decir, que si metía los dedos o cualquier accesorio no estéril para extraer la cuchara de su interior iba a contaminar directamente el contenido del bote, anulando cualquier proceso de esterilización anterior. ¡Bravo!

Tenía que pensar rápido, pues el bebé no dejaba de llorar en la habitación y mi pareja estaba empezando a dudar de mis capacidades. Se me ocurrió coger un cuchillo de cortar jamón, encender el fuego de la cocina y darle unas cuantas pasadas para eliminar todo rastro de elementos patógenos o bacterias. Tras varios intentos, conseguí sacar triunfal la cuchara del interior del bote, sintiéndome un auténtico Indiana Jones. Lo siguiente fue contar las cucharadas de leche correspondientes y verterlas en el biberón. ¿Podéis creer que me desconté hasta tres veces? Tuve que tirar el contenido y volverlo a preparar todo desde el principio... La operación «bibe al dente» se me estaba yendo de las manos. Mi pareja y la niña ya estaban conmigo en la cocina siendo testigos de mi penosa actuación. De modo que, cuando por fin el biberón estuvo preparado, mi pareja me lo quitó de las manos y, echándose unas gotitas de leche sobre el antebrazo, espetó: «¡Esto está hirviendo!». Tardé casi treinta y cinco minutos en prepararle el biberón a la niña, por lo que podemos decir que mi entrada en el mundo de las leches y los biberones no fue lo que se dice un rotundo éxito.

Tras repetir el proceso de esterilización tres veces más, comprobé que una de las cosas que más le gustaba a mi hija era meter la mano en la boca de los demás. A todo el que la cogía en brazos le metía la mano en la boca y, por supuesto, luego se la metía en la suya. De manera que, si tenemos en cuenta que la boca contiene más de ochenta millones distintos de bacterias, mi hija era un auténtico zoológico bacteriano. Por ello, y haciendo caso a la opinión de algunos reconocidos pediatras, a partir de aquel día me limité a realizar la esterilización limpiando bien los biberones, las tetinas y mis manos con agua y jabón.

Mientras el bebé se alimenta solo de leche, el color de sus deposiciones tiene un color amarillo mostaza bastante característico. Por ello, y con la intención de tranquilizar a cualquier lector que se haya quedado inquieto por la complejidad de esta etapa, os dejo la frase que me regaló una gran amiga y madre experimentada: «Tranquilo, esta fase se pasa cagando leches».

El mito del avión

Para qué nos vamos a engañar. Nunca he sido lo que se dice un «cocinillas» ni me he sentido atraído por las artes culinarias. De hecho, cuando mis padres se marchaban a pasar el fin de semana al pueblo y me quedaba solo en casa, sobrevivía a su ausencia alimentándome de las sobras que pudieran quedar en la nevera o a base de sándwiches y bocadillos, para no tener que encender un fuego ni tocar una sartén. En ocasiones, llegué a esperarlos en el recibidor de casa aullando de hambre como una fiera encerrada, con tal de no aprender a cocinar.

Durante los primeros meses de lactancia, se suele alimentar al bebé a demanda. Esto quiere decir que, en cuanto tiene hambre y reclama, se le enchufa la teta o se le da el biberón sin casi hacerle esperar. Ello resulta cómodo en muchos aspectos, pues no tienes que estar pensando en lo que vas a cocinar ni en si la proporción de vitaminas, carbohidratos y proteínas es correcta, pues, por lo visto, la leche materna o, en su defecto, las leches preparadas contienen todos los nutrientes que el bebé necesita para sobrevivir y crecer adecuadamente. De hecho, según los expertos, los bebés lactantes no necesitan siquiera beber agua.

Visto así, parece que alimentar a nuestro bebé va a tratarse de un paseo en barca, pero no nos tenemos que confiar, pues a partir de los seis meses, aproximadamente, hay que empezar a introducir papillas saladas en su dicta, y aquí es donde realmente empieza lo bueno…

Los pediatras suelen dejarnos bien clara la importancia que tiene la alimentación del bebé en sus primeras etapas y nos enseñan cómo introducir progresivamente los distintos tipos de alimentos en su dieta. El miedo que nos produce a los padres pensar que el bebé no come lo suficiente o que estamos fallando en el cumplimiento de nuestra tarea nos convierte en auténticos profesionales de la distracción y de la persecución con cucharilla y plato por toda la casa. Inventamos miles de teorías y métodos para hacer que nuestro bebé se termine la ración de comida que le hemos preparado y somos capaces de casi todo con tal de ver el fondo del biberón o del plato.

La prueba de la libreta

Los pediatras hacen hincapié en que se lleve a cabo un minucioso registro y control de la dieta del bebé, pero de la misma manera, y a modo de consuelo, también reconocen que el instinto de supervivencia innato en el ser humano impide que un bebé muera de hambre por propia voluntad. En la mayoría de ocasiones, los bebés comen la cantidad suficiente para su correcto crecimiento, y simplemente la obsesión por ver el plato limpio constituye un error de percepción por parte de los padres primerizos, que no tenemos en cuenta que el bebé ya puede estar saciado hace rato. Por lo tanto, mientras tu bebé crezca y engorde según lo establecido por el pediatra, no debes alarmarte. Si piensas que no come lo suficiente, puedes hacer esta prueba: apunta en una libreta durante dos o tres días todo lo que come, cada galleta, cada trozo de fruta o pan, pues lo que para nosotros parece un simple tentempié, para él puede suponer en ocasiones una comida completa. De esta manera comprobarás si se trata de un error de percepción o si realmente existe algún problema que se deba consultar con el pediatra.

Abróchense los cinturones

Una vez superados los primeros meses de teta y biberón, tendréis que haceros con una trona o silla alta para dar de comer al bebé. Sí, es cierto que existen otros métodos, pero, como veremos más adelante, tener al bebé sentado en su propia mesa a una altura adecuada facilitará enormemente la tarea. De hecho, las tronas actuales vienen con un cinturón de seguridad con el que amarrar al bebé para impedir que se levante del asiento y pueda causar algún estropicio o llegar a caerse.

Las tronas antiguas no llevaban este accesorio, pues recuerdo perfectamente a mis padres utilizando mi cinturón blanco-amarillo de judo para atar a mi hermano pequeño a la trona durante las comidas. Se ha dado el caso de niños que se mueven tanto durante las comidas que sus padres se han planteado seriamente el uso de camisas de fuerza o carretillas como la que utilizaban para trasladar a Hannibal Lecter en *El silencio de los corderos*.

¿Babero de ganchillo o chubasquero?

Conseguir que el bebé se esté quieto mientras le das la papilla se va a convertir en una de tus próximas obsesiones; por ello, deberás aprovisionar gran cantidad de baberos y pechitos, para no tener que cambiarlo de ropa después de cada comida. Habrás observado que uno de los primeros regalos que se hace a los bebés es un babero de ganchillo o punto de cruz hecho a mano y con todo el amor por una amiga de la familia o una de las abuelas. Estos diminutos pechitos son los primeros en saltar al ruedo, y de la misma manera son los primeros en salir corneados de la plaza, pues tras la primera cucharada descubrimos, horrorizados, que la papilla atraviesa el punto de ganchillo y que su diminuto tamaño deja desprotegidas las piernas y la barriga del comensal.

Después de dos o tres comidas, guardarás los pechitos de punto en el fondo de un cajón y comprenderás que lo más funcional son los baberos de rizo con una capa de plástico impermeable en su interior. En breve iréis subiendo de nivel y pasaréis a utilizar los baberos XL con bolsillo para recoger restos de comida, que es posible incluso que acabéis sustituyendo por auténticos chubasqueros del ejército con los que cubrir al bebé de pies a cabeza.

«Que viene el avión...»

Un padre desesperado lo prueba absolutamente todo cuando sienta a su hijo a comer y comprueba que este no está por la labor de hacerlo. Normalmente, empezamos utilizando el tradicional método de «que viene el avión...», sistema que, con dos rápidos manotazos, el bebé se encarga de convertir en un mito sin ninguna eficacia. En busca de otras opciones, podemos acabar convirtiéndonos en auténticos payasos de feria, gesticulando, cantando y haciendo ridículas muecas ante nuestros hijos, sin conseguir, aun así, el resultado deseado, en la mayoría de ocasiones. Es por ello que queda prohibido, desde este momento, criticar o burlarse de cualquier padre que esté realizando el esfuerzo titánico de alimentar a su prole sin recurrir al sencillo sistema de proyectar vídeos o dibujos animados desde una tableta o un teléfono móvil.

Un nuevo tema de conversación

Será mejor que empieces a acostumbrarte cuanto antes: hablar de cacas a partir de ahora se va a convertir en algo más que habitual en tus conversaciones, ya que el color, el tamaño, la textura y el olor de las deposiciones va a ir variando con cada alimento nuevo que introduzcáis en la dieta de vuestro bebé. Tu pareja te sorprenderá una mañana diciéndote:

—¡Corre, Paco! ¡Ven a ver qué color tan bonito tiene hoy la caca de la niña! ¡Cómo se nota que ya hemos empezado con las papillas de verduras!

Eso sí, deberás empezar a preocuparte cuando descubras que tu pareja guarda los pañales fuera de la basura para enseñártelos en cuanto llegues a casa.

> Puedes apuntarte dos momentos gloriosos a nivel escatológico en tu calendario: uno de ellos llegará cuando introduzcáis las espinacas en la dieta del bebé y el otro cuando decidáis darle a probar el kiwi. ¡Todo un espectáculo de colores!

Sí, me gustan los potitos

No descubrí realmente las mieles de las artes culinarias hasta el día en que mi pareja llegó a casa cargada con una bolsa repleta de potitos de diferentes sabores y me dijo que había llegado el momento de introducir otros alimentos en la dieta de nuestro bebé. En algún lugar había escuchado que no era bueno alimentar a los bebés a base de potitos y tenía la idea de que no hay nada mejor que las papillas caseras de toda la vida. Así que, cogiendo el toro por los cuernos y con voz de padre comprometido, le dije a mi pareja: «Mi hija no tomará potitos mientras su padre viva en esta casa». ¡Olé! Con cara de enfado, le arranqué de las manos la bolsa de potitos, la escondí en el fondo de un armario y me senté frente al ordenador para ponerme manos a la obra. «Van a saber cómo las gasto», pensé, orgulloso, mientras tecleaba en el buscador de Google «Cómo hacer papilla casera para bebé». Tras pasar por alto algunos resultados disparatados, encontré lo que andaba buscando: se trataba de un vídeo de Youtube en el que una señora a la que solo se le veían las manos mostraba una gran variedad de ingredientes exquisitamente ordenados, pelados y colocados en diferentes cuencos de cristal con la intención de enseñar a los padres a «realizar de manera sencilla una deliciosa papilla de pollo con verduras para tu bebé». Pausé el vídeo durante un plano general para comprobar si disponía de aquellos sencillos ingredientes en la nevera: una zanahoria, un calabacín y un muslo de pollo sin piel. Como solo disponía de zanahoria, me puse la chaqueta y bajé sin pensármelo dos veces al supermercado.

—¿Me puede poner un muslo de pollo sin piel?

La cara que puso la carnicera dio a entender que mi demanda resultaba un tanto ridícula, así que corregí mi pregunta:

—Bueno, mejor póngame dos —le dije con cara de experto.

Luego, para que no quedara una compra desequilibrada, decidí comprar también dos calabacines y volver corriendo a casa. Mi pareja esperaba con la niña en brazos, pues por lo visto ya se acercaba su hora de comer y estaba empezando a inquietarse, así que puse de nuevo el vídeo en marcha y la mujer siguió con su explicación. «Ahora ponemos el pollo durante veinticinco minutos en agua hirviendo...» «Un momento, ¿veinticinco?», dije en voz alta. Mi pareja entonces preguntó con tono desconfiado desde la salita: «¿Le falta mucho a esa papilla casera?».

El tiempo corría decididamente en mi contra, así que me puse manos a la obra con los siguientes pasos de la receta, pelando la zanahoria y el calabacín lo mejor que pude. Tras hervirlo todo durante veinticinco minutos, la simpática señora me sorprendió vertiendo el contenido en una especie de vaso gigante montado sobre una base de metal. ¿Qué era aquello? ¿Un robot de cocina? Yo solo disponía de una pequeña batidora. Pulsando durante algunos segundos el botón principal del aparato, la cocinera consiguió que la masa informe de los ingredientes hervidos se convirtiera en una suave crema de color verdoso que procedió a servir a modo de presentación en un plato decorado con ositos de peluche y caballitos de feria.

La comida de mi pequeña llevaba mucho tiempo de retraso y yo no hacía más que imaginarme la cara de disgusto de mi pareja, así que, ni corto ni perezoso, volqué el contenido de la cazuela en el interior del vaso de la batidora y, sujetándolo con firmeza, me dispuse a reducir a papilla aquel revoltijo de carne con verduras. Ajusté la batidora a la máxima potencia y al apretar el botón, y como si se tratara de un mortero del ejército, gran parte del contenido todavía caliente salió proyectado al exterior, salpicando a su paso todo lo que se le cruzaba por el camino. Este inexplicable fenómeno me hizo reducir la potencia de la batidora a menos de la mitad, con el fin de no tener que pintar de nuevo el techo de la cocina. Cuando por fin consideré que la mezcla estaba totalmente triturada, vertí la obra maestra en un platito decorado con patitos de goma y pompas de jabón. Ya me estaba imaginando la cara de admiración que iba a poner mi pareja.

Trucos para una papilla «10»

Si decides lanzarte al fantástico mundo de la papilla casera, no te limites a hacer una ración; prepara varias a la vez y congélalas en envases individuales para no tener que pasarte el día cocinando. Recuerda que las papillas de bebé no necesitan sal y que cada bebé, según su edad, necesita una cantidad de alimento distinta. Con el fin de llevar a cabo una dieta lo más equilibrada posible, es recomendable pesar cada ingrediente antes de empezar a cocinar, siguiendo las cantidades que marque vuestro pediatra.

Mi entrada en la sala de estar con el plato de papilla y la cuchara no fue exactamente como la había imaginado. Por lo visto, los restos de papilla resecos que salpicaban mi cara y gran parte de mi ropa le resultaron muy jocosos a mi pareja, que se revolcaba de risa por el suelo, mientras la niña dormitaba plácidamente en su minicuna. En la mesita, frente al sofá, la cara de un niño regordete impresa en la etiqueta de un potito de verduras vacío, me miraba fijamente con cara burlona.

La situación me molestó bastante y tuve la tentación de montar en cólera, pero en lugar de ello, decidí sentarme en el sofá frente al tarro vacío de potito y probar una cucharada de la papilla que yo mismo había preparado con todo mi amor. La verdad es que la repugnante apariencia de aquella pasta verdosa no tenía ni punto de comparación con su horripilante sabor y textura grumosa. ¿Pretendía darle de comer aquello a mi querida hija? Entonces me di cuenta de que en el fondo del tarro de potito todavía quedaba algo de papilla, así que, con cara de asco, decidí probar también una cucharada de aquel preparado industrial para compararlo con mi artesana creación. Mi primera sensación fue que la textura del potito era bastante más uniforme que la de mi papilla, y al degustarlo con detenimiento comprobé que, para no llevar nada de sal, tenía un sabor bastante aceptable. Fue durante la segunda cucharada cuando pude descubrir los matices de diferentes verduras y algo de carne, pero lo mejor vino cuando trataba de rebañar el fondo del tarro con la cuchara, pues descubrí que mi pareja me miraba con cara de asombro y confusión. Entonces me metí la cuchara de nuevo en la boca y, después de saborear su contenido con tranquilidad, me sentí en la obligación de confesarle a viva voz: «Sí, ¡qué pasa! Me gustan los potitos».

Si realmente la cocina no es lo tuyo, estás de enhorabuena. Una investigación realizada en 2012 por el jefe de la Unidad de Nutrición y Metabolopatías del Hospital La Fe de Valencia concluyó que los potitos industriales y los purés caseros para la alimentación infantil tienen un perfil nutricional semejante. Así que deja de sentirte culpable y atiborra sin remilgos tu despensa de potitos.

LOS PATITOS

Cuando pensaba en la higiene de los bebés, me imaginaba que las cosas sucedían de otra manera. Probablemente influido por la televisión, veía a un bebé rubito de ojos azules arropado por esponjosas toallas de algodón. Me imaginaba una bañera caliente repleta de espuma con pompas de jabón y patitos de goma flotando. En mis recuerdos de infancia, los bebés siempre estaban limpitos y olían bien, y te entraban ganas de besarlos y abrazarlos. Pensaba que se trataba de algo mágico, como la cesta de la ropa sucia, en la que metías tu ropa maloliente y aparecía por arte de magia, a los pocos días, limpia, planchada y bien doblada dentro de tu armario. Desconocía (quizás porque no la quería conocer) la otra cara de la moneda, la de las manos que limpian a diestro y siniestro cacas que llegan hasta el ombligo, o la de los montones de toallitas de bebé usadas junto a casi otros tantos pañales que se acumulan diariamente generando cantidades de residuos orgánicos suficientes como para abonar varias plantaciones de tomates.

Ahora veo la higiene de los bebés de otra forma. Me imagino al padre limpiando al mismo bebé rubito, pero esta vez se trata de un bebé con cara de borde que piensa, mientras se mete en la boca la cabeza de uno de los patitos de goma: «Limpia, limpia, que aún no ha salido lo mejor...».

Caliente, caliente

Una de las cosas que más he echado de menos durante los primeros tiempos de mi paternidad ha sido poder usar mi bidé, ya que al nacer la niña tuvimos que hacerle hueco en nuestro diminuto cuarto de baño a una majestuosa bañera para bebé de color verde chillón. Al principio probamos con una sencilla bañerita de plástico que se introducía en el interior de la bañera. Parecía lo más lógico: era relativamente barata y, al ocupar el mismo espacio que la bañera, no restaba espacio en el baño. Nuestras expectativas se fueron por tierra cuando bañamos por primera vez a la niña y descubrimos que este tipo de bañera obliga a los padres a permanecer de rodillas durante todo el baño y que, con esa postura, cualquier tarea se complica mucho. Sin contar con que luego teníamos que sacar a la niña envuelta en toallas para vestirla sobre nuestra cama.

Esto nos llevó a adquirir una bañerita-cambiador en toda regla, con sus patas de aluminio y todo. Cuando la vimos en la tienda me pareció una idea fantástica, pues la bañera se tapa con una pieza que hace de cambiador, lo que nos iba a permitir vestir y desvestir a la pequeña sin tener que deslomarnos. Mi única duda era la ubicación de aquel enorme artilugio. Yo pensé que la íbamos a colocar en su habitación, pues era el lugar ideal por la cantidad de espacio que necesitaba; pero no había tenido en cuenta que la bañera debía colocarse cerca de un grifo y un desagüe, de manera que mi pareja lo tuvo enseguida claro:

—Cabe perfectamente si la colocamos en el baño sobre el bidé, y podemos llenar la bañera con el mango de la ducha y utilizar el propio desagüe del bidé para vaciarla.

A lo que yo respondí, tímidamente:

—Pero, entonces… ¿ya no podremos utilizar el bidé?

—No, pero no pasa nada. En casa, nadie lo usa…

De esta manera aprendí a utilizar las toallitas de bebé para mi higiene íntima hasta que retiramos aquel artefacto del cuarto de baño.

La hora del padre

El ritual del baño tiene algo que me fascina, pues, además de suponer una medida básica de higiene diaria, supone también una herramienta fantástica para la introducción de rutinas en la vida del bebé y para reforzar el débil vínculo paterno-filial.

Desde el principio, y alentados por nuestra pediatra, decidimos que la hora del baño iba a ser considerada como «la hora del padre», ya que por culpa del trabajo me perdía gran parte de las tareas cotidianas que mi pareja disfrutaba con la niña. De hecho, en la mayoría de ocasiones, cuando llegaba a casa, mi mujer me estaba esperando en la puerta para endosarme a la pequeña, diciendo: «¡Ale! ¡Te toca!». No me dejaba siquiera quitarme los zapatos.

El baño, según nuestra pediatra, es el momento ideal para relajar al bebé y prepararlo para la noche…

El inicio de las rutinas

Durante los primeros cuatro meses de vida, el cerebro del bebé no es capaz de asumir la noción del tiempo, y solicita la satisfacción de sus necesidades básicas a demanda; a saber: comer, dormir, mear y cagar, siempre en el momento que a él le venga en gana. Es a partir de los cuatro meses, más o menos, cuando ciertas rutinas pueden empezar a influir en su comportamiento. La hora del baño como tal es algo que no entra dentro de sus necesidades primarias; por ello, nunca llorará pidiéndonos un baño ni nada por el estilo, pero la sucesión diaria de la rutina del baño le ayudará a ser consciente del paso de los días y, entre otras cosas, a anticiparle la llegada de la cena y de la noche.

Mi ritual del baño diario era el siguiente: antes de desvestir a la niña, calentaba el baño con un calefactor eléctrico hasta que yo pudiera sentirme cómodo en él con el torso descubierto. Algunos amigos me contaron que tenían un termómetro para no tener que utilizar este rudimentario método y que la temperatura adecuada oscila entre los 23 y los 25 grados.

Mientras se calentaba la estancia, llenaba la bañera con agua tibia hasta que alcanzaba aproximadamente la temperatura corporal del bebé. Para ello, utilizaba un termómetro de baño que nos regaló mi madre. Esta nos contó que utilizar el codo para comprobar la temperatura del agua no es seguro, y que una amiga suya descubrió que su codo era totalmente insensible tras escaldar en la bañera a su bebé. (La temperatura correcta oscila, por lo tanto, entre los 35 y los 37 grados). Para crear una atmósfera aún más cálida, instalé una lamparita de noche en el baño. De esta manera podía apagar los focos halógenos del techo que apuntaban directamente a la cara de la niña cuando estaba tumbada.

Mi inseguridad y el miedo a que la niña se pudiese ahogar hicieron que utilizara una hamaca de baño en el interior de la bañerita, lo que me permitía, además, utilizar las dos manos durante toda la operación. En el transcurso del baño en sí, susurraba canciones al bebé o le contaba cosas de mi día a día, como si pudiera entenderme.

Consejos para un baño placentero

Existen algunos cuidados especiales que debes tener en cuenta durante el baño de tu bebé:

1. Nunca debes dejarlo solo, ni durante el baño ni, tras él, sobre la hamaca.

2. No es recomendable la utilización de talcos o colonias, al menos en los primeros meses. Pueden provocar alergias.

3. La altura de la bañera debe adecuarse a la estatura de la persona que bañe al bebé. Su espalda lo agradecerá.

4. Lava siempre la bañera antes y después de su utilización.

5. Es importante secar bien todos los pliegues de la piel del bebé, especialmente los que se encuentran debajo del mentón, detrás de las orejas y en el área del pañal. No te puedes ni imaginar la cantidad de cosas que se pueden acumular en su interior.

6. Aprovecha la hora del baño para revisar al bebé y así descartar erupciones, inflamaciones u otros problemas. Observa si presenta costra láctea en la cabeza.

7. No te desanimes si tu bebé llora mucho durante sus primeros baños. Tus cuidados y las condiciones ambientales adecuadas harán que acabe por acostumbrarse y terminéis los dos disfrutando de este momento juntos.

Un masajito y listos

La pediatra nos recomendó también incorporar un masaje a la rutina de nuestra pequeña. Así que, con un chorrito de aceite de almendras y con las manos precalentadas friccionando una contra la otra, acababa la sesión proporcionándole a la sultana de la casa un delicioso masaje que empezaba por las piernas, continuaba por los brazos y el abdomen y terminaba en su pequeña espalda.

La finalidad de estos masajes es básicamente la hidratación y relajación del bebé, por lo que no hay que apretar en ningún momento ni friccionar su cuerpo con fuerza. Tampoco hay que masajearle las palmas de las manos, pues, según nos dijo la pediatra, de esta manera se activa su reflejo de presión y se consigue el efecto contrario al que pretendemos conseguir.

No sé en qué momento eliminamos de nuestras vidas la increíble rutina diaria del baño. Estoy seguro de que si a todos nosotros, a día de hoy, alguien se encargara de desnudarnos todas las tardes a la misma hora, sumergirnos en agua calentita, susurrarnos dulces canciones, mimarnos y masajearnos sin cobrarnos nada a cambio, terminaríamos por convertirnos, con total seguridad, en mejores personas.

Malabarismos en el cambiador

La primera vez que sostienes a un bebé en brazos, lo haces como si se tratara de una figura de porcelana. Tienes miedo de hacerle daño y esto hace que tus movimientos sean torpes y desconfiados. Durante una de las primeras revisiones de nuestra hija, la pediatra se encargó de dejarnos claro que los niños no son tan frágiles como pensamos; para ello, le hizo todo tipo de perrerías, con la excusa de comprobar sus reflejos: torsiones de cuello, pellizcos en la planta de los pies, estiramientos de sus extremidades... En fin, nos quedó claro que los niños son casi de goma, y que la seguridad con la que los padres los cojan influye directamente en la sensación de seguridad y protección que necesitan. Por eso hay personas a las que nunca les lloran los bebés y, en cambio, otras a las que estos no pueden ni ver.

Pasada la primera semana de vida de nuestra hija, empecé a sentirme cómodo cogiéndola en brazos. Las rutinas y la costumbre hicieron que me fuera soltando cada día más, hasta llegar al punto de poder preparar una completa papilla de frutas con la niña en brazos. La hora del baño se convirtió en una de mis especialidades, y podríamos decir que llegué a convertirme en un auténtico malabarista del cambiador que, al poco tiempo, ya era capaz de retirar la hamaca de baño sin soltar a la niña y de sujetar a esta con una mano mientras con la otra enjabonaba, frotaba, hacía y deshacía, sin ningún problema.

Cómo sostener al bebé durante el baño

La mejor forma de sostener al bebé es colocándolo boca arriba, pasando el antebrazo por debajo de su cabeza y sujetándole con la misma mano por debajo de su brazo. De este modo, su cabeza queda apoyada en tu muñeca y su espalda en la palma de tu mano. Con la mano libre podrás lavar cómodamente al bebé.

El efecto fuentecilla

Como ya hemos comentado, los bebés satisfacen sus necesidades primarias a demanda. Por ello, es muy probable que, durante la estrenada paternidad, te encuentres con el llamado *efecto fuentecilla*.

La necesidad de hacer pipí o algo peor puede venirle al bebé sin previo aviso y en el peor momento. Por ello, tienes que aprender a ser rápido como el viento. Cada segundo cuenta y el mínimo despiste puede ser fatal. Te recomiendo que siempre que tengas al bebé desnudo en el cambiador, y, sobre todo, si lo cambias en tu cama o cualquier otro lugar, coloques un pañal limpio bajo su culito. Con esto, vas a prevenir tener que limpiar más de la cuenta en caso de escape.

Sin embargo, debido a la altura del cambiador, un accidente bastante común es el apuntado «efecto fuentecilla», en el que el bebé libera su vejiga al encontrarse desprovisto del pañal, generando una trayectoria parabólica con su chorro que termina por encontrarse de lleno con la cara de la persona que en ese momento trata de cambiar el pañal. Un truco para evitar ser víctima de este efecto consiste en cubrir con la parte frontal del pañal la posible salida de líquidos durante todo el proceso de limpieza.

Pánico frente al armario

Una vez limpita, uno de mis mayores problemas llegaba a la hora de vestir a la niña. Por lo visto, el día que explicaron en clase el tema de combinar colores y conjuntar la ropa yo estaba en casa con gripe.

—Déjame a la niña, que hoy me encargo yo de vestirla. ¿Te parece?

—Claro, ¡qué alegría! ¿Sabrás hacerlo?

No hay nada que nos provoque más a los padres primerizos que la insinuación de que somos incapaces de hacer algo.

—Por supuesto. ¿Dónde está la ropa de la niña?

—En su sitio.

¡Zas, en toda la boca! Entendiendo por dónde van los tiros, te acercas con temor al inmenso armario de tres puertas de la habitación de la niña, y por vergüenza, y para no tener que volver a preguntar, abres todas las puertas, das dos pasos hacia atrás y contemplas con horror la cantidad de prendas diminutas de color pastel que en aquel lugar se almacenan. Tu cerebro sufre una especie de cortocircuito y te sientes incapaz de seguir adelante. Blusitas, camisetas, *bodies* de invierno, *bodies* de tirantes, peucos, vestidos, faldas, pantalones… Cuando te recuperas del *shock*, decides coger una prenda de cada, siguiendo los patrones que marca tu supuesto buen gusto, y te lanzas a probar suerte vistiendo a la niña. En el noventa por ciento de ocasiones, el resultado final no será del gusto de tu pareja y tu autoestima, como padre primerizo ejemplar, sufrirá un duro golpe.

1. Ponerle el body por encima de la ropa. Por lo visto, el *body* hace la función de ropa interior del bebé. Alguien inventó que debía existir un orden a la hora de vestir a los bebés, y decidió que este fuera el siguiente: primero el pañal, luego el *body* y, a continuación, el resto de la ropa. Y, naturalmente, si ves braguitas o calzoncillos por el armario, ten por seguro que se ponen por encima del pañal, nunca por debajo.

2. Sacar a pasear al bebé en pijama. Tranquilo, no es culpa tuya, pues algunos de los mejores padres también han sido incapaces de distinguir una camiseta normal de una de pijama. Si no lo dices, nadie se da cuenta.

3. Ponerle la camisa al revés. Por lo visto, es una moda muy común poner botones en la espalda de las camisas de bebé. Sinceramente, creo que se trata de una trampa para dejar en ridículo a los padres, no le veo otra explicación.

4. Ponerle ropa de verano en invierno y viceversa. No vale solo con que te guste el color y pienses que tu bebé va a estar deslumbrante. Tienes que pararte unos segundos y pensar en la estación del año en la que te encuentras. Las mujeres suelen utilizar algún método de almacenamiento más o menos oculto para diferenciar unas prendas de otras en el interior del armario. Descubre el sistema que utiliza tu pareja y aumentarán considerablemente tus posibilidades de éxito.

5. Ponerle ropa de vestir para bajar a los columpios. Hay cierta ropa que se reserva para lo que ellas llaman *las ocasiones,* y en la mayoría de los casos, cuando llegan esas «ocasiones» la ropa se ha quedado pequeña y no se llega ni a estrenar. Tú, calladito, que estás más guapo.

6. Ponerle ropa que no es de su talla. Los bebés crecen muy rápido y la gente os regala ropa para cuando crezca. La única forma de evitar este tipo de confusiones es ir sacando del armario la que se queda pequeña y guardar la grande en otro lugar.

Durante tus jornadas frente al cambiador, cometerás algunos errores y probablemente serás *víctima* de distintos percances. Lo más normal es que tu pareja los utilice durante semanas como comidilla jocosa en vuestras conversaciones con familiares y amigos, pero lo fundamental es no dejar que te afecten. Aprende a reírte de ti mismo y no desistas en el empeño de vestir a tu bebé con gusto y a la moda, pues tú puedes y lo sabes.

¡Cagona!

Uno de los regalos que más me sorprendió recibir cuando nació mi hija fue una tarta hecha con pañales de recién nacido. La verdad es que no le encontré la gracia por ningún lado y me pareció, más que un regalo, una broma de mal gusto. ¿Qué quería decir aquello? ¿Qué gracia podía tener mezclar algo que se come con un pañal?

El regalo hacía referencia a una fiesta, quería decir algo así como: «¡Bienvenidos a la fiesta de los pañales!». Entonces yo no era aún consciente de la cantidad de veces al día que se le puede llegar a cambiar el pañal a un bebé, pero no tardé en comprender perfectamente el sentido del regalo. Si os digo que al bebé se le cambia una media de diez veces al día, creo que me quedo corto. De hecho, hoy me arrepiento de no haber expresado mi agradecimiento de manera más efusiva a la amiga que nos hizo el singular regalo.

Cambiábamos tantas veces el pañal a la niña que tuvimos que colocar una papelera exclusiva para pañales usados en el cuarto de baño a la que, cariñosamente, apodamos con el nombre de *Chorongueitor* y que, por supuesto, vaciábamos a diario. No os podéis imaginar cómo pesaba aquella bolsa: hubo ocasiones en las que tuve que pedir ayuda a mi vecino para tirar aquel «paquete bomba» al contenedor.

«¿Serás cagona?», le decía a mi hija. «¿No puedes hacer pis y caca a la vez?». Porque no es caca todo lo que reluce, ¿sabéis? Más de la mitad de las veces el pañal solo tiene pipí, pero, claro, no vas a dejárselo todo empapado en espera de algo más contundente, ¿no? Acabas obsesionado con el consumo desmedido de celulosa y, por el bien de tu bolsillo y por solidaridad con el medio ambiente, tratas de controlar semejante derroche; así que, cuando llega la hora del baño y, tras desnudar al bebé, compruebas que el paquete está casi limpio, te surge el gran dilema para el que no tengo una respuesta que ofreceros: ¿le pongo el mismo pañal usado después del baño?

La fiesta del color

Ya he dejado caer en alguna ocasión que a los padres primerizos nos encanta hablar de las cacas de nuestros bebés. De alguna forma, parece que se trate de un nexo común que nos identifica, ya que puede darse el caso, por ejemplo, de que la hija de tu amigo Ramón ya tenga su primer diente con siete meses y la tuya aún no, pero seguro que, al igual que tu bebé, la hija de tu amigo Ramón hace caca sin tregua desde sus primeros días.

En realidad, no es la cantidad lo que nos llama la atención, pues si comparamos las deposiciones de un bebé con las de un adulto, podemos comprobar que no se trata de una cantidad desmedida. Lo que sobre todo nos sorprende es la gran variedad de colores y texturas que es capaz de crear el diminuto estómago de nuestro bebé. Entre las más habituales se encuentran las siguientes:

Meconio. Nada más nacer, el bebé expulsa una sustancia viscosa y espesa de color verde oscuro tirando a negro, compuesta por células muertas y otras secreciones del estómago, que se conoce con el nombre de *meconio*. Su color y textura, comparable al alquitrán, es absolutamente repugnante. Tanto, que algunos padres piensan que la madre naturaleza nos ha dejado «lo mejor» para el principio.

Heces del lactante. El meconio tarda un máximo de 48 horas en ser expulsado por completo del cuerpo del bebé. Entonces, su pequeño estómago deja paso a las heces que se producen durante la lactancia, que son del mismo color que la mostaza de marca blanca que venden en el súper. Algunos padres se preocupan por la aparición de una especie de semillas en el interior de las mismas, pero tranquilos, es completamente normal y forma parte de esta fase.

Heces de leche de fórmula. Estas aparecen cuando el bebé empieza a consumir otra leche distinta de la materna. Su color marrón es poco llamativo y su textura es comparable a la del humus.

Heces de sólidos. En esta fase podréis comprobar, con vuestros propios ojos, en qué se convierte cada nuevo alimento que introducís en la dieta del bebé. Todo lo que entra por su boca sale luego representado de manera independiente y con bonitos colores en el lienzo del paquete. ¡Una auténtica obra de arte! Además, la base de la caca será de color verdoso y más sólida que en la fase anterior. Por ello, si tuviéramos que compararla con algo, sería con un guacamole con tropezones.

Las heces ocasionalmente blandas del bebé no deben ser motivo de alarma. Sin embargo, si esto ocurre regularmente durante dos días o más, podría tratarse de diarrea. La diarrea en los bebés puede causar deshidratación y también puede ser un signo de infección. Por lo general, estas infecciones no son peligrosas, pero la deshidratación que puede producirse debido a la pérdida excesiva de líquidos en las heces sí que es motivo de preocupación. Por ello, ante heces de este tipo, lo mejor es consultar directamente con el pediatra.

Benditas toallitas

Una vez conoces los tipos de cacas más habituales estás preparado para enfrentarte a su limpieza. ¿Qué pensabas?, ¿qué se quedaba todo en el pañal? No, amigo mío, siento decepcionarte. En muchas ocasiones, el «regalito» se esparce sin control por todas partes y es necesario tener nociones de auténtico CSI para dejar impoluta la zona afectada. Los bebés son unos grandes inoportunos, y saben esperar pacientemente a que les pongas el vestidito nuevo o a que estéis en mitad de la ceremonia de la boda de tu prima para deleitaros con esa caca explosiva que rebasa las fronteras del paquete. Entonces descubres cuán imprescindibles y eficaces llegan a ser las toallitas de bebé, cuyo sutil aroma y frescura, por otro lado, te enamora al instante. Desde ese momento, ya no podrás vivir sin ellas, y las comprarás en cantidades industriales y diferentes formatos: formato de viaje, formato cagón estándar y formato cagón familiar.

Como todo en la vida, nada es para siempre, y el amor por el aroma de las toallitas no tarda en esfumarse, pues, con el paso de los días, nuestro cerebro empieza a mezclar por asociación el olor de las toallitas con el de los pañales, haciendo que cada vez que utilicemos una de ellas, aunque sea para limpiarle restos de comida de la cara al bebé, nosotros pensemos que las manos nos huelen a caca.

Llegará un momento en que no podrás soportar el olor de las toallitas de bebé en las manos, así que, llegados a este punto, te recomiendo tener siempre a mano un bote de alcohol etílico en gel, con el que podrás deshacerte, definitivamente, de ese olor tan característico a «culo cagado».

NOCHES BLANCAS

El significado de la noche ha cambiado totalmente para ti. Aún recuerdas aquellas mañanas en las que te despertabas malhumorado porque un mosquito te había estado fastidiando y decías que no habías podido pegar ojo. En realidad, te habías despertado un par de veces y luego te había costado un rato volver a conciliar el sueño. Luego te pasabas el día farfullando y arrastrándote como un zombi. ¡Menudo quejica estabas hecho!

Hoy serías capaz de ofrecer tu reino por unas cuantas horas de aquellas noches con mosquitos. Tantas noches en blanco te están pasando factura y te quedas dormido frente a la tele, por muy (hipotéticamente) interesante que sea su programación. Cualquier momento vale para echar una cabezadita si te lo permiten los llantos del bebé. Por cierto, te encantaría entender los motivos por los que llora; mejor dicho, te desespera no entender lo que le pasa. Para colmo, y a pesar de tanto agotamiento, sigues pensando en el sexo, como si nada hubiese cambiado, pero, como presumías, tu pareja no muestra señales de sentir lo mismo que tú.

Llegas a pensar que vas a seguir de esta manera el resto de tu vida y que tu cuerpo no lo va a soportar mucho más. Espartano, esto es parte de tu entrenamiento, se está forjando un *superpadre* y todavía no lo sabes.

Tabletas: solo un rato

Cada bebé es distinto, no lo podemos negar. Prácticamente desde que nacen, comienzan a forjar su personalidad mostrando comportamientos totalmente diferentes unos de otros. Unos nacen llorando de manera desgarradora mientras que otros vienen a este mundo sin apenas abrir la boca. Lo mismo pasa a la hora de distraerlos, pues a cada uno le llama la atención una cosa distinta. Hay bebés que se emboban cuando pasan frente a un televisor encendido y, en cambio, otros parecen incapaces de detectar su presencia.

Muchos de nosotros provenimos de otra generación tecnológica, pues en nuestra infancia los ordenadores solo se utilizaban para trabajar, la televisión no tenía canales de dibujos las veinticuatro horas y los teléfonos estaban conectados a la pared. Si querías saber algo sobre cualquier tema tenías que buscarlo en la enciclopedia de casa o ir a una biblioteca. Nuestros hijos, en cambio, han nacido en la era de la información. En la gran mayoría de hogares, los bebés disponen de teléfonos inteligentes, tabletas u ordenadores con conexión a Internet. La televisión ofrece infinidad de canales gratuitos, varios de ellos dedicados exclusivamente a la audiencia infantil.

Los padres primerizos nos quedamos boquiabiertos cuando vemos la facilidad con la que los bebés aprenden a utilizar los teléfonos o las tabletas. Lo primero que pensamos es que son superdotados y corremos a contárselo a los vecinos, que nos bajan los humos diciendo que su niña de 6 meses lleva ya tres aprendiendo sueco con una aplicación que se bajaron en la tableta. Entonces empiezas a ser consciente de que nuestros niños han nacido en otra época.

En nuestra infancia, cuando una película utilizaba gráficos en 3D, decíamos: «¡Cómo se nota que está hecha con ordenador!». Ahora, los niños son incapaces de distinguir entre los dibujos animados clásicos, las películas de animación y las películas con actores reales. También pueden disponer de dibujos animados a la carta, a la hora que quieran y sin esperas de ningún tipo: han nacido ya en la era de *Juego de tronos*. ¿Qué les va a sorprender, entonces? Nosotros, abrumados por la cantidad de aplicaciones que existen para ofrecer horas de entretenimiento a nuestros hijos, nos volvemos locos tratando de encontrar aquellas que estimularán sus mentes a la vez que los mantendrán entretenidos. Muchas veces, sin darnos cuenta de que no les estamos haciendo ningún favor.

Niños pasivos

Los pediatras consideran que el uso prolongado de las pantallas genera niños más pasivos, mientras que la falta de contacto físico con otras personas les provoca falta de interacción y merma el desarrollo saludable de sus sentidos.

Algunas pautas

Ante tanta duda, ¿qué pautas podemos seguir para un buen uso de las pantallas por los más pequeños?

1. No las tengas siempre encendidas. Tu pequeño debe aprender a entretenerse sin la tele o la tableta. Aunque te parezca que no les presta atención, percibe sus sonidos y sus imágenes de forma inconsciente, lo que influye en su estado de ánimo.

2. No las utilices como una forma cómoda de entretenerlo. Busca alternativas más creativas, aunque requieran tu participación, como leer cuentos, jugar con plastilina, pintar en la pizarra, inventar historias...

3. No le dejes usarlas más de media hora seguida. Pasado este tiempo, el cerebro entra en la fase que precede al sueño y los niños se quedan en un estado similar al hipnótico (no parpadean ni contestan cuando les llamamos). En todo caso, procura que no las vea más de una hora diaria y que haya días en los que ni se acuerde de ellas.

4. Acomódalo bien. Si le pones la tele, asegúrate de que esté situado a más de metro y medio de distancia de la pantalla, con la luz del cuarto encendida y con el volumen del televisor a un tono normal.

5. Acompáñalo mientras las utiliza. Así podrás explicarle lo que no entienda. Sin la compañía de un adulto, el efecto educativo de los programas infantiles es mucho menor, y aumenta el riesgo de que reciba imágenes o ideas inapropiadas.

6. Acostúmbralo a comer sin pantallas. Los niños que comen con sus padres sin ver la tele y dialogando con ellos tienen una autoestima más alta que los pequeños cuyos padres no siguen esta costumbre. Compartir ese rato de charla les transmite la agradable sensación de formar parte importante de una familia que les quiere, lo que les proporciona confianza y seguridad. Por otro lado, comer prestando atención a una pantalla (o, lo que es igual, sin darnos cuenta) es uno de los hábitos que más favorecen la obesidad.

7. Apagadlas un rato antes de acostarlo. Ver dibujos animados antes de dormir desvela a los pequeños (por la rapidez secuencial de las imágenes, el color, el sonido...) y propicia que tengan un sueño más inquieto y menos reparador.

8. Ofrecedle un buen ejemplo. Si vuestro hijo os ve todo el día con la tele puesta, frente al ordenador, el teléfono o la tableta, considerará habitual este tipo de conductas y él seguirá usándolas como vosotros cuando sea adulto, ya que los expertos dicen que tales hábitos se instauran durante los cinco primeros años de vida.

9. No las utilicéis como premio ni como castigo. Si lo hacéis, les concederéis mucha más importancia de la que deben tener, vuestro pequeño acabará convirtiéndolas en objetos de culto y le resultará mucho más difícil prescindir de ellas.

Noticias no, gracias

Antes me gustaba ver las noticias de vez en cuando, pero desde que nació mi hija me aterra hacerlo, sobre todo con ella delante. ¿Qué va a pensar del mundo al que la hemos traído? Guerras, asesinatos, corrupción y muchas otras cosas horripilantes. Como padre, me gustaría poder protegerla de toda esta sucia parte de la realidad durante el resto de su vida. Me gustaría decirle que toda la gente es buena y que las cosas malas solo suceden en las películas, pero sé que no puede ser así y que tarde o temprano tendrá que hacerle frente. Por ello, en lugar de ocultarle continuamente las cosas malas, me propuse tratar de mostrarle lo contrario, enseñarle cada día la cantidad de personas buenas que existen en el mundo, personas que ayudan a los demás, que estudian para descubrir curas de enfermedades, la cantidad de artistas geniales que habitan nuestra tierra… de manera que en su cabeza no se quede la idea errónea sobre el ser humano que nos transmiten los medios de comunicación. Por supuesto que existe gente mala, y queda claro que las desgracias suceden, pero creo fervientemente que si enseñamos a nuestros hijos a rodearse de gente buena y noticias positivas, tendrán muchas más posibilidades de ser personas optimistas y felices el resto de sus vidas.

Tus hijos terminarán enganchados a la tableta o al móvil, no lo vas a poder evitar, y los expertos recomiendan que no los utilicemos como castigo para no darles más importancia de la que tienen. Por ello, cuando necesites castigarlos y a la vez quieras dejar tu conciencia tranquila, te propongo quitarles los cargadores, ya que de esta manera podrás observar el arrepentimiento en sus ojos conforme se vaya descargando la batería.

Y ahora, ¿por qué coño llora?

«¿**Q**ué le pasa a la niña?», nos preguntó con mirada seria el pediatra de guardia. Eran las dos de la mañana; la niña se había pasado todo el día y parte de la noche llorando y, justo al cruzar el umbral de la puerta del ambulatorio, había dejado de llorar.

—Es que lleva todo el día llorando, y no sabemos qué le pasa. Estamos muy preocupados.

El pediatra se quedó mirando a la niña, que en ese momento se metía tranquilamente el puño en la boca.

—Bueno —dije—, le juro que ha dejado de llorar en cuanto hemos cruzado la puerta del ambulatorio.

El pediatra, comprensivo, nos pidió que desnudáramos a la niña sobre la camilla y comenzó a auscultarla lentamente. Cada vez que cambiaba a la niña de posición, nos miraba de reojo y nosotros, preocupados, lo mirábamos fijamente, con ojos lacrimosos, esperando un diagnóstico.

Tras practicarle algunas comprobaciones más, se quitó el estetoscopio de los oídos y nos pidió que vistiéramos a la niña. Yo, con el corazón en un puño, sin poder aguantar más, pregunté con voz temblorosa:

—Díganos, doctor, ¿qué le pasa?

Las tres solemnes palabras que pronunció el doctor tras aclararse brevemente la garganta quedarían grabadas a fuego en mi cabeza:

—Los niños lloran.

A continuación, nos dijo que la niña se encontraba perfectamente y que nos podíamos ir a casa con toda tranquilidad. Así que, un poco decepcionados, iniciamos el camino de vuelta a casa, donde, por supuesto, tras cruzar el portal, la niña prorrumpió a llorar de nuevo como si le estuvieran clavando astillas afiladas bajo las uñas de los pies. Mi pequeña continuó llorando sin tregua durante sus tres primeros años de vida. En ocasiones, cuando yo ya no sabía qué hacer, me ponía a llorar a su lado, imitándola, para ver si era capaz de hacerle saber lo que yo sufría.

Lo único que parecía calmarla era zarandearla en brazos a la vez que subíamos y bajábamos una pequeña banqueta de plástico, como si estuviésemos realizando una clase de *step*. Pero aquella danza tribal era agotadora.

Nuestra preocupación me hizo recurrir a Internet, donde descubrí que, tras diez años de investigaciones realizadas sobre miles de bebés de todo el mundo, se había demostrado que todos los bebés comparten un mismo lenguaje. Todo empezó por la curiosidad de una madre por saber si los bebés tenían un código de llanto, y esta duda la llevó a hacer una exhaustiva investigación, con la que llegó a la identificación de cinco sonidos concretos:

Neh: tengo hambre.

Owh: tengo sueño.

Eh: necesito eructar.

Eairh: dame un masaje en la barriga porque tengo gases.

Heh: estoy incómodo, quizá tengo calor o llevo el pañal sucio.

El estudio prosigue analizando cada uno de los sonidos y describiendo cómo distinguir cada uno de ellos durante el llanto del bebé. Me estudié aquel texto de cabo a rabo, y os aseguro que traté de interpretar durante casi un mes el llanto de mi hija; puse todo mi empeño en hacerlo, pero por más que lo intenté, no conseguí descifrar absolutamente nada.

Llanto = alarma

Durante el primer año de vida, antes de que el bebé pueda pronunciar palabra, solo puede comunicarse por medio del llanto. Desde siempre, el llanto es sinónimo de alarma. El ser humano comparte esta característica con otros animales, un rasgo que produce una respuesta inmediata por parte de sus padres. Durante los tres primeros meses, el bebé llora con frecuencia; a partir de entonces, el llanto empieza a reducirse. Alrededor de las seis semanas, las glándulas lacrimales de los ojos ya se han desarrollado y el bebé deja escapar sus primeras lágrimas.

Tipos de llantos

Hay varias razones que explican los distintos tipos de llanto del bebé: dolor, hambre, incomodidad, soledad, falta de estimulación, frustración y, aunque resulte extraño, también el exceso de estimulación. Un bebé llora cuando está incómodo, lleva el pañal sucio, siente frío o calor, etc. A medida que esa incomodidad aumenta, los lloros son más insoportables. Durante mi etapa de padre primerizo, conocí a un par de madres hipersensibles que eran capaces de distinguir rápidamente un llanto de otro, y hablando con ellas pude clasificar los siguientes tipos:

1. El llanto de dolor. Este llanto surge tras un *coco*, golpe o dolor de barriga, y generalmente produce unos lloros agudos y ensordecedores, ya que el bebé no sabe qué le pasa y no es capaz de diferenciar entre una molestia y un dolor físico; por eso se queja, tratando de llamar la atención. Habitualmente, deja de llorar cuando se le acuna, y solo continúa si el dolor persiste. Si llora continuamente, es posible que tenga cólicos.

2. El llanto por hambre. Dicen que el llanto por hambre puede detectarse por el ritmo y por el momento en que ocurre. Cuando el bebé tiene mucha hambre, el llanto es alto y continuado, y solo se detiene para respirar. Pero, como he comentado antes, yo fui incapaz de distinguirlo de los demás.

3. El llanto desconsolado. Se da cuando el bebé se siente abandonado. Durante los primeros meses, el bebé está muy unido a su madre y empieza a llorar cuando se separa de ella. Coger en brazos al bebé o acunarlo suele ser suficiente para calmar su desazón en estas situaciones.

4. Llanto de cansancio y sueño. Si el bebé está agotado, los lloros son muy quejosos, y es posible que se frote los ojos o las orejas. Estos síntomas hacen que este lloro sea uno de los más fáciles de distinguir.

5. El llanto de frustración. Este tipo de lloro se produce cuando el bebé intenta desesperadamente hacer algo y no lo consigue. La frustración le hace montar un tremendo berrinche que, en casos extremos, puede llegar a provocarle apneas y hasta que se ponga de color azul. Mi madre nos explicó que, cuando esto ocurre, hay que soplarle en la cara para que vuelva a respirar con normalidad. No sé muy bien el porqué, pero funciona.

Bendito chupete

En inglés, al chupete se le llama *the pacifier* (el pacificador), y aunque parezca el nombre de una película americana, hace referencia fielmente a su finalidad, que es la de calmar al bebé durante sus primeros meses de vida. El chupete puede funcionar a la perfección con algunos bebés, calmándoles su necesidad continua de succión. Pero no a todos les produce el mismo efecto. Por ejemplo, mi pequeña no quiso probar los chupetes ni por asomo, cosa que nos sumió aún más en la desesperación.

A corto plazo, el chupete no dificulta el desarrollo del bebé, pero su uso continuado puede crear un hábito, y cuanto más lo usan más lo quieren. Es recomendable que a partir del año y medio los bebés empiecen a usar el chupete solo para dormir, pues aún les ayuda a relajarse. La recomendación general de los pediatras es que el bebé deje el chupete antes de los 3 años de edad, es decir, antes de que comience la Educación Infantil.

> Hubo ocasiones en las que mi hija, teniendo todas sus necesidades satisfechas y el pañal limpio, seguía llorando como una fiera. Yo, desesperado, le preguntaba a mi pareja: «Y ahora, ¿por qué coño llora?». Ella me acariciaba la espalda, me besaba en la mejilla y, susurrándome al oído, me recordaba: «Cariño, los bebés lloran».

¡Y tú, pensando en el sexo!

Todo lo relacionado con el bebé es maravilloso y color de rosa, nuestra felicidad ahora es desbordante y por fin tiene sentido la vida. Pero, ¿cuándo volverán las cosas a la normalidad? ¿Cuándo volverá todo a ser como antes? ¿Cuándo parará mi pareja de tratar de controlarlo todo? ¿Cuándo volverá a darse cuenta de que existo?

Han pasado ya muchos días desde el nacimiento del bebé y continúas en la fase de *coitus non existus*. El cuidado del bebé ocupa tanto tiempo a tu pareja que, cuando os encontráis de nuevo bajo las sábanas, solo puede pensar en una cosa, y sabes perfectamente que no es en ti. Además, su cuerpo ha cambiado, y tras el embarazo no se encuentra a gusto con los kilos que ha ganado. Sin embargo, tú sigues siendo el mismo; tu entorno ha cambiado de manera radical —ya hemos hablado antes de esto—, pero la parte de tu cerebro que se encargaba de la libido sigue palpitando exactamente igual.

¿Cómo es posible? Llevas días durmiendo a ratos, trabajando y cuidando del bebé; solo piensas en dormir durante cinco o seis horas seguidas, pero, de repente, la visión de tu pareja preparándose para darle el pecho al bebé, en lugar de despertarte un bonito sentimiento paternal, te hace recordar los viejos buenos tiempos en los que eras tú el que ocupabas el lugar del lactante. Tu cabeza empieza a volar y te desconectas de la realidad por unos instantes, dando rienda suelta a tus fantasías sexuales. Es entonces cuando tu pareja te despierta de las ensoñaciones, pidiéndote que cambies al bebé, pues ha vuelto a ensuciar los pañales, ¡y tú, pensando en el sexo! Volver a tener al bebé en brazos hace que te olvides del sexo por un momento, y que tus pensamientos se vuelvan más profundos: «¿En qué nos estamos convirtiendo? El sexo es lo que nos diferencia de ser simplemente dos compañeros de piso. ¿Por qué ya no le atraigo? ¿Ella no tiene las mismas necesidades que yo?...».

De alguna manera, vuelves a sentir celos del bebé. Se te pasa por la cabeza pensar que tu mujer está con otro. En este caso, con otro que es mucho más adorable, que huele veinte veces mejor que tú, y que entra y sale de vuestra cama como Pedro por su casa. Los sentimientos contradictorios vuelven a invadirte y es inevitable llegar a la conclusión de que, cuando tienes un bebé, el sexo ya no es algo espontáneo sino una cosa más en tu lista de tareas pendientes. A medida que el sexo resulta menos prioritario, vuestra relación se vuelve más vulnerable y es probable que dé lugar al resentimiento, la indiferencia y, sí, en ocasiones, a la infidelidad.

Padres insatisfechos

Un estudio de 2009 de la Universidad de Denver señala que el 90 % de los padres primerizos experimentan un descenso significativo en la satisfacción de la relación, mientras que un sondeo realizado por la revista digital *Baby Talk* señala que solo el 24 % de los padres dicen estar satisfechos con sus vidas sexuales después de la llegada del bebé, en comparación con el 66 % que estaba feliz antes de tener hijos.

La clave, en un folleto de avión

En la película de David Fincher *El club de la lucha*, Tyler Durden, interpretado por Brad Pitt, reflexiona sobre las caras de felicidad y tranquilidad que muestran las personas que aparecen en los folletos de seguridad que se encuentran en los asientos de los aviones. Según él, sería más lógico ilustrar a los pasajeros con caras de pánico y horror, pues es difícil imaginar que, en caso de accidente, la gente sonría y mantenga la calma de esa manera. Desde que vi la película, cada vez que vuelo, analizo esos folletos, fijándome en todos los detalles.

Y la primera vez que subí a un avión siendo padre primerizo me di cuenta de algo que iluminó mi vida en pareja…

Cada compañía aérea tiene sus folletos, pero todos explican cómo reaccionar en caso de accidente o despresurización de la cabina.

Si el avión sufre una despresurización, en la mayoría de aviones se descuelgan automáticamente unas mascarillas de oxígeno del techo sobre cada pasajero. ¿Qué haría cualquier padre de manera instintiva si viajara con su hijo? Lo primero que yo haría, sin pensármelo dos veces, es ponerle la mascarilla a mi hija y luego me la pondría a mí. Parece lo lógico, ¿no? Pues, si os fijáis, los protocolos de seguridad dicen que hay que hacer justo lo contrario. El primero que debe colocarse la mascarilla es el adulto, y luego encargarse del niño o del bebé. Si el padre no está bien, será incapaz de proteger la vida de su hijo.

Esto me hizo reflexionar profundamente. Cuando somos padres, nos centramos tanto en cuidar y proteger a nuestros hijos que nos olvidamos de cuidarnos a nosotros mismos. Pero si no estamos bien, vamos a ser incapaces de conseguir que nuestros hijos estén bien, y conseguir que una familia sea feliz, en la mayoría de los casos, parte de unos padres felices. Vuestra relación de pareja es la que ha terminado formando una familia, y si esta relación se rompe o se debilita, terminará por afectar a la estabilidad del resto de componentes de la familia.

Qué hacer para mantener tu vida sexual viva

1. Sal y disfruta de una cita con tu pareja lo antes posible.
Hay madres incapaces de dejar al bebé al cuidado de otra persona, incluso cuando ya tienen dos o tres años. De alguna manera, piensan que el bebé no lo va a poder soportar. Habla con tu pareja y explícale lo importante que es vuestra relación para la seguridad de vuestro bebé y la estabilidad de la familia. Cuando acceda, piensa que es vuestra primera cita. Así que no la presiones con el sexo, ¡fiera!

2. Canaliza la intimidad no sexual fuera de la habitación.
Los niños son auténticas aspiradoras de intimidad, pero debes guardar algo para tu pareja. Abraza a menudo a tu pareja cuando no esté el bebé por medio, reservad un momento del día para estar solos y charlar de vuestras cosas. Recuperad, por ejemplo, el momento de la cena para estar juntos y procurad, aunque parezca imposible, que no todas las conversaciones giren en torno al bebé.

3. Ayúdale a recuperar la autoestima. Recuérdale lo guapa que la encuentras y lo mucho que te sigue atrayendo. Que ella se sienta bien será fundamental para el éxito de nuestra gesta.

4. No dejes que el bebé duerma en vuestra cama. Sé de lo que estoy hablando, pues no solo prácticamente imposibilita logísticamente el sexo, sino que es una intrusión a la tan necesaria intimidad y a la separación que los padres necesitan de sus hijos.

> Gracias a aquel folleto del avión, descubrí que no se trata solo de sexo, sino de pasión, de complicidad, de intimidad y confianza. Es por ello que, desde aquel día, taché «tener sexo» de mi lista de tareas pendientes y la sustituí por «volver a conquistar a mi pareja» y, por supuesto, por «volver a tener sexo con ella».

EL ACABOSE

Desde el día que se nos cayó la niña desde el cambiador, ya nada volvió a ser lo mismo. A la niña no le pasó nada, aparte del susto, pero para nosotros fue el acabose. Preocupadísimos, buscamos en Google: «¿Es necesario llevar a tu bebé al hospital tras una caída?», y encontramos un blog donde se explicaba la «regla del metro», que en pocas palabras dice que, si el bebé cae desde más de un metro de altura, es necesario llevarlo a urgencias. Así que, ni corto ni perezoso, cogí un metro y me puse a medir la altura del cambiador. Como la niña había caído contra el váter y la distancia resultante era de 98 cm, decidimos salir de dudas con la opinión contrastada de un médico.

Este percance nos hizo ver que no estábamos preparados para este tipo de situaciones, y decidimos apuntarnos a un cursillo de primeros auxilios para padres primerizos que impartían en una clínica cercana. Allí nos enseñaron a reaccionar en caso de fiebres altas, caídas, roturas de huesos y cortes, pero también nos pusieron ejemplos de sopas que causan quemaduras de segundo grado, pequeños juguetes obstruyendo las vías respiratorias o un garbanzo que el bebé se metía por la nariz y le terminaba germinando por el ojo... En definitiva, aprendimos que estamos rodeados de aparentes objetos inofensivos y que pueden resultar letales para nuestro bebé.

¡Maldita la hora en que decidimos hacer aquel cursillo!

¡SANGRE!

Mi hija comenzó a caminar exactamente a los nueve meses. Según dicen los libros y revistas especializados, lo más lógico es que primero se empiece a gatear para luego, poco a poco, ir cogiendo confianza y comenzar a andar. Pero mi hija no siguió las indicaciones: pasó de estar sentada a ponerse de pie, con ayuda de nuestras manos, y a lanzarse a correr por el pasillo. Lo tenemos documentado en vídeo. Fue realmente alucinante verla tomar la curva del pasillo como si redujera la marcha, para, a continuación, enfilar de nuevo rumbo a la cocina, a toda velocidad. Dicen que la velocidad sin control no sirve para nada, y el exceso de velocidad, precisamente, nos llevó a sufrir algún que otro accidente. Su primer cabezazo contra el suelo hizo un ruido espeluznante, o por lo menos eso nos pareció. Todo sucedió en cosa de segundos. La niña estaba con mi pareja y, por lo visto, el peso desproporcionado de su cabeza hizo que su carrera terminara dándose de bruces contra el suelo. Yo me encontraba en la sala de estar, con el ordenador, cuando oí un fortísimo ¡CLONC!, y acto seguido la voz de mi pareja gritando: «¡SANGRE! ¡SANGRE! ¡SANGRE!». Me levanté de un salto y salí al pasillo, donde mi pareja corría arriba y abajo con la niña en brazos. Mi primera impresión fue pensar que mi pareja había perdido transitoriamente la cabeza. Al verme aparecer, me soltó a la niña en brazos y salió corriendo tapándose la boca con la mano. Según me explicaría luego, le había entrado una especie de ataque de pánico.

Yo también me asusté, pero, manteniendo un poco más la calma, examiné durante unos segundos a la niña, que no dejaba de llorar y, efectivamente, tenía sangre en la boca, así que la llevé al baño y la limpié con agua. Al parecer, se había mordido la lengua al darse con la barbilla en el suelo y se había hecho una pequeña herida. ¡Hay que ver lo escandalosa que es la sangre! Una vez la niña se tranquilizó un poco, me fui con ella en brazos por toda la casa en busca de su madre, a la que encontramos sentada en la cocina tapándose la boca y moviendo la cabeza, a punto de echarse a llorar. «¡Vámonos corriendo al hospital!», repetía sin cesar con voz dramática.

Carreras a urgencias

He de reconocer que no me gustan demasiado los hospitales; me imagino que como a todo el mundo, pero yo, además, soy de esos a los que les cuesta ver el momento de ir a uno. Muy grave tiene que ser lo que haya sucedido para que no piense que me puedo apañar solo con los primeros auxilios que nos enseñaron en los *boy scouts* o pidiéndole consejo a mi amiga farmacéutica. Cuando se trata de uno mismo, resulta relativamente fácil evaluar la gravedad de un accidente, pero cuando se trata de un bebé el asunto se complica. ¿Le habrá causado el golpe daños cerebrales? Por si acaso, llamamos por teléfono a una amiga que es médico y nos dijo que tuviésemos a la niña en observación y que si notábamos algún síntoma extraño durante las siguientes cuarenta y ocho horas la lleváramos urgentemente al hospital. ¿Cuarenta y ocho horas?, ¿síntomas extraños? Nuestra amiga nos indicó que debíamos tener en cuenta síntomas como atontamiento, somnolencia, vómitos repetitivos, dolor de cabeza… Mientras hablaban ella y mi pareja, me di cuenta de que la niña se había quedado dormida en mis brazos, así que, al colgar el teléfono, asustadísimos, nos fuimos pitando para urgencias.

En esa ocasión, no sucedió nada más aparte del susto y la herida en la lengua, pero desde entonces mi pareja y yo encontramos un nuevo tema del que discutir cada vez que teníamos algún percance leve con el bebé, pues yo siempre era partidario de no llevarla directamente al hospital y ella, en cambio, de hacerlo de inmediato.

¿Qué hacer ante un golpe en la cabeza?

Cuando un niño se da un golpe en la cabeza, debemos vigilar su estado durante 24 horas o, mejor aún, durante las siguientes 72 horas.

Ante cualquier síntoma o comportamiento fuera de lo normal, hay que ir al médico. También se debe acudir si el niño sufre una pérdida de conocimiento, por breve que sea.

Por otro lado, es falso que no se deba dejar dormir al niño por la noche si se ha dado un golpe en la cabeza. Lo más indicado es despertarlo cada dos o tres horas para comprobar que se espabila y responde de modo normal.

En cualquier caso, tras un golpe en la cabeza, el pequeño debe seguir con su actividad habitual, esto es, dormir, comer y jugar a las horas que suele hacerlo, si bien es normal que se encuentre un poco abatido.

Tranquilo, ¡respira!

No podemos proteger a nuestros hijos todo el tiempo, y los accidentes suceden tarde o temprano. Tropezar, caer, cortarse o quemarse son parte de la educación que necesitamos para aprender a cuidar de nosotros mismos el resto de nuestras vidas. Si no aprendemos que el fuego quema o que los cuchillos cortan, tampoco aprenderemos a respetarlos y a utilizarlos con cuidado. Nadie nos prepara para ver sufrir a nuestros hijos, y mucho menos para la sangre, pero debemos ser conscientes de que nuestra manera de reaccionar va a afectar directamente el comportamiento del bebé frente a este tipo de situaciones. Si nos fijamos, la mayoría de niños, cuando caen al suelo o se dan un golpe en la cabeza, observan inmediatamente la expresión de la cara de sus padres, pues ellos son incapaces de evaluar la gravedad de los hechos. Para ellos, no hay nada más importante que ver que nosotros estamos seguros de lo que hacemos. Si nos ven actuar con tranquilidad, entenderán que nada grave ha sucedido, y los ayudaremos a reaccionar con más calma ante este tipo de situaciones. En cambio, si gritamos o ponemos cara de susto, les transmitiremos nuestro miedo y probablemente se pongan a llorar nerviosos.

Un día, cuando mi hija ya había aprendido a hablar, llevé a cabo un experimento para comprobar la influencia que los padres tenemos sobre nuestros hijos, pues vino hacia donde yo estaba con cara de susto y la mano en la cabeza. Se había dado un golpe con la esquina de una mesa y, preocupada, quería saber si tenía sangre, así que, mirándome fijamente a los ojos, quitó despacio la mano de su cabeza y preguntó, con voz temblorosa: «¿Qué tengo?». Yo, al ver que no tenía absolutamente nada, decidí poner en práctica mi experimento y puse mi peor cara de terror, como si acabara de ver algo horripilante en su pequeña cabeza. Inmediatamente, ella se puso a llorar a moco tendido y a preguntarme gritando: «¡Qué tengo! ¡Qué tengo!». A lo que yo entonces respondí, burlón: «Un piano de cola, hija, un piano de cola».

¿Dalsy® o Apiretal®?

Como ya he comentado, mi hija tenía la fabulosa costumbre de meter la mano en la boca de quienquiera que la cogiera en brazos. Lo hacía conmigo, con mi pareja, con mi suegra… A continuación, por supuesto, se la metía en su propia boca. Desde mi punto de vista, se trataba de una especie de sistema para relacionarse con la gente; podríamos decir que era su manera de conectar. La verdad es que al final me producía cierto asco que mi hija metiera la mano en mi boca, y no porque se la hubiese metido antes en la suya, sino porque pensaba: «¡Vete a saber a quién le habrá metido la mano en la boca antes! ¡Brrr!».

Debido a esta manía suya, era imposible no contagiarse de todos los virus y bacterias habidos y por haber. Lo curioso es que ella no solía ponerse excesivamente malita; simplemente, se le ponía la cara roja, las manos se le calentaban un poco más de lo normal y se quedaba unos días aplatanada. Pero, cuando pasaban un par de días desde el primer síntoma, a mí me empezaba a subir la fiebre de manera brutal y me ponía enfermo como no me había puesto en toda mi vida. «¡39 y medio!», exclamaba al comprobar horrorizado la temperatura del termómetro. Sin exagerar, recuerdo haber llegado casi a los cuarenta de fiebre. Mi teoría es que los virus que iban recopilando de uno y de otro las manos de mi hija mutaban en su interior dando lugar a nuevas versiones mucho más agresivas, que a mí me afectaban de manera directa. ¡Era matemático! Nunca he estado más enfermo que durante mi época de padre primerizo.

Mitos terroríficos sobre la fiebre

Durante mucho tiempo, bajar la fiebre ha sido casi un dogma de fe incuestionable en nuestra sociedad, y aún lo sigue siendo para muchos de nosotros. Cuando la temperatura de nuestros hijos sube, amenazadoramente, por encima de los 37 °C, nos lanzamos como locos a tratar de rebajarla con Dalsy® (ibuprofeno) y Apiretal® (paracetamol). Cuando yo era niño, sufría de repetidas amigdalitis, por lo que a menudo tenía fiebre alta. Entonces, mi madre colocaba en mi frente paños empapados en agua fría con vinagre, para hacer que bajara la temperatura. En ocasiones, hasta me sumergieron en la bañera con el agua helada.

Estas prácticas se deben, en buena medida, a la existencia de algunos mitos terroríficos sobre la fiebre. Uno de los más comunes, y que a día de hoy todavía mis padres me recuerdan, es el de que la fiebre alta puede causar daños cerebrales graves e irreversibles a los bebés, cosa que en realidad, según dicen los médicos, no ocurre salvo a temperaturas por encima de los 42 °C. Otro mito terrorífico es la supuesta capacidad de la fiebre para provocar graves convulsiones. Estas, en realidad, caso de producirse, son leves, suelen aparecer con fiebres bajas y no se consiguen evitar con el tratamiento de la fiebre.

Por lo visto, la fiebre no es más que un mecanismo de defensa de nuestro cuerpo, y según explican los pediatras, aparece como síntoma que nos alerta de que el bebé está sufriendo un proceso viral o una infección bacteriana. Pero no hay nada peor que ver a tu bebé enfermo, y los padres primerizos nos encontramos ante la tesitura de tener que decidir, como si tuviésemos alguna idea, sobre cómo reaccionar durante los estados febriles de nuestro bebé.

Febrícula y fiebre

Según los expertos, se consideran febrícula todas las temperaturas entre 37,5 y 38,5 °C tomadas en el recto. Sí, has oído bien, en el recto. Y pienso como tú: ¿no hay otro lugar más cómodo? Pues no, parece que no. Según los expertos, este es el lugar más fiable para tomar la temperatura en lactantes. Solo se considera fiebre, por lo tanto, la temperatura rectal superior a 38,5 °C (excepto en menores de un mes, en los que se considera fiebre la temperatura rectal por encima de los 38 °C).

¿Bajar la fiebre o dejarla actuar?

El cuerpo del bebé sufre un aumento de temperatura al tratar de combatir la posible infección generando un ambiente hostil para los virus y las bacterias, por un lado, y más glóbulos blancos y anticuerpos, por el otro. Según los especialistas, la fiebre en sí misma no es mala; sin embargo, la alta temperatura le puede resultar incómoda al bebé y quitarle las ganas de comer, beber o dormir, lo que a su vez posiblemente haga más difícil su recuperación. El Dalsy® y el Apiretal® son antitérmicos que actúan sobre el centro regulador de la temperatura situado en el cerebro, pero no intervienen en el curso natural de la enfermedad. Son medicamentos sintomáticos, es decir, que solo sirven para tratar el síntoma, en este caso la fiebre y el malestar producido por ella. Los dos tienen un efecto similar, pues ambos son analgésicos y disminuyen el dolor, aunque el ibuprofeno tiene, además, efectos antiinflamatorios. Su efecto antitérmico hace que el niño se sienta más confortable, pero raras veces consigue hacer desaparecer la fiebre alta al principio de la enfermedad.

Sacamocos

Las fosas nasales de los bebés son un continuo manantial de fluidos viscosos. Los mocos van a ser una constante, probablemente, hasta los cinco o seis años de vida del bebé, y lo mejor de todo es que hasta que no aprenda a sonarse solo, tú vas a ser el responsable de limpiarlos. Entenderás, entonces, por qué a los niños se les llame *mocosos*.

Cuando todo va bien y el moquito es claro y de apariencia líquida, basta con ir limpiándolo con un pañuelo corriente. Pero cuando empiece la temporada de constipados, vuestro pediatra seguramente os aconsejará que practiquéis al bebé lavados y aspiraciones nasales periódicas, de dos a cuatro veces al día, según la cantidad de mucosidad. Entonces, tú pensarás: «Eso se hará con una máquina, ¿no?» ¡Sí, amigo! Vas a alucinar cuando descubras al imprescindible sacamocos, tu nuevo compañero durante los baños. Se trata de un pequeño recipiente de plástico transparente con una boquilla cuya finalidad es introducirse en la fosa nasal del bebé. Por el otro lado sale un tubito de silicona por el que tendrás que absorber con todas tus fuerzas para extraer las mucosidades del interior de la criatura, teniendo en cuenta que la única separación entre los mocos y tu boca va a ser una ridícula esponjita que, después del tercer uso, sustituirás por una simple bolita de algodón.

Ha llegado el momento de tomar decisiones serias y de comportarse como un hombre de verdad. La salud de tu bebé es lo principal y debes mostrar seguridad en todos y cada uno de tus actos. Tu pareja te recordará que eres el fuerte de la casa y probablemente te pondrá la excusa de que ella no sabe absorber tan bien como lo haces tú. Así que, pon a punto tu nuevo sacamocos, coge una gran bocanada de aire fresco y prepárate para recordar sabores de la infancia, esa bonita época en la que literalmente te comías los mocos.

Carnet de vacunas

El día que nace tu bebé, en el hospital te hacen entrega de un librito en cuya portada reza: *El libro de la salud del bebé*. Tú, para tus adentros, piensas: «¡Mira, el manual de instrucciones!», pero aunque disponga de una pequeña sección con consejos sobre la salud del bebé, no se trata de ningún manual; podríamos decir que se parece más a la cartilla de la ITV de tu bebé, en la que habrán registrado en el hospital la fecha y la hora del parto junto a cualquier otra incidencia que haya podido ocurrir durante el mismo. Este libro, también conocido como *carnet de vacunas*, será el que utilizarán los pediatras durante el resto de la infancia de tu hijo para hacer el seguimiento del estado de su salud y de sus vacunaciones.

El angustioso percentil

Uno de los apartados que más nos angustia a los padres y que motiva frecuentes conversaciones es aquel en el que aparecen las gráficas de somatometría, que es la parte de la medicina que trata de la medición del cuerpo teniendo en cuenta las medidas corporales: longitud, peso y perímetros. Gracias a estas gráficas, los pediatras evalúan si el crecimiento del bebé sigue una evolución correcta dentro de los percentiles establecidos como normales. No es raro oír a otro padre alardear en tono arrogante:

Es que mi hijo es alto como su padre, está muy por encima del percentil…

—Pues… pues la mía...

Al escuchar este tipo de comentarios me obsesionaba con las gráficas de mi hija, pues no eran destacables exactamente por la altura —aunque también estuviera por encima del percentil— y sí, en cambio, por estar por encima de la media en cuanto al peso. Y esto no me parecía motivo de fanfarroneo.

No sabemos el motivo, pero nuestra hija, comiendo de manera normal y siguiendo los patrones alimenticios marcados por nuestra pediatra al pie de la letra, estaba rolliza y molluda como un perrito shar pei. Esto nos agobiaba y preocupaba, sobre todo a partir del día en que la pediatra tuvo que anotar el percentil fuera de la tabla porque se salía totalmente de la gráfica. Llegamos a preguntarle si creía conveniente poner a régimen a la niña, y la doctora, quitándole hierro al asunto, nos tranquilizó diciendo con una sonrisa que los bebés sanos suelen estar gorditos y sonrosados, y que cada uno se desarrolla de manera diferente.

¿Qué son y cómo se leen los percentiles?

Las tablas y gráficas de percentiles representan una serie de valores del peso y la altura correspondientes a cada edad y sexo. Estos valores se utilizan como referencia por los pediatras para determinar la evolución del crecimiento del niño. Gracias a ellos, los especialistas pueden valorar, entre otros aspectos, si los niños ganan peso a un ritmo superior o inferior al óptimo y prevenir una posible desnutrición o sobrepeso. Las tablas que se utilizan con más frecuencia son las del peso y la talla, que son diferentes según el sexo del bebé. Por medio de una gráfica, en la que el eje horizontal representa la edad del bebé y el vertical el peso o la talla, se cruzan los datos en una de las líneas de percentiles del gráfico representadas con un número (3, 10, 25, 50, 75, 90 y 97). El número de percentil obtenido por el bebé refleja su nivel de peso o talla respecto a otros bebés de su misma edad. Si la tabla muestra un percentil en torno a 50 significa que sus medidas están en la media. Si, en cambio, obtiene un percentil de 90 en la talla, quiere decir que, de cien niños, 90 están por debajo de la medida del bebé y tan solo 10 la superan.

Terror a las agujas

Así como no me gustan los hospitales, tampoco me han gustado nunca las agujas. Las inyecciones y las vacunas me han causado terror desde muy pequeño, posiblemente desde una temporada en la que me tuvieron que inyectar penicilina por culpa de mis constantes amigdalitis. Esto me hizo coger una terrible aversión a las batas blancas y a la traumática experiencia de bajarme los pantalones y poner el culo en pompa. Aún recuerdo las palabras de la enfermera hablando con mis padres:

—La penicilina se cristaliza muy rápido y es de las inyecciones que más duelen, ¡pobrecito!

Con todo su cariño y para que no pensara en la inyección, la enfermera me decía que tratara de notar el sabor de la inyección. Decía que me la estaba poniendo de ¡chocolate! ¿De chocolate? El dolor era insoportable, así que le pedí amablemente que se metiese el saborcito por donde le cupiese y tratara de terminar lo antes posible.

La prueba del talón

El día que le hicieron la «prueba del talón» a mi pequeña volvieron a reavivarse mis temores infantiles a las agujas. El nombre real de esta prueba es el de «prueba de metabolopatías», y con ella se pretende descartar cierto tipo de enfermedades que no se pueden detectar por exploración física. Según dicen, se realiza en el talón por resultar esta zona menos agresiva para el bebé, pero viendo cómo se puso a llorar mi hija y cómo estrujaban las enfermeras su piececito, tuve la sensación de que se trataba de alguna forma macabra de tortura.

Debí de ponerme muy nervioso, porque las enfermeras nos hicieron salir con mucha amabilidad a mí y a mi pareja de la sala en la que nos encontrábamos y nos dejaron oyendo los gritos de mi hija desde la sala de espera.

Calendario de vacunaciones

Durante el siglo XX y lo que llevamos del XXI, la vacunación ha sido una de las medidas que mayor impacto ha tenido en la salud pública, ya que con su administración se han conseguido disminuir de manera radical las principales enfermedades que causaban la muerte en niños y bebés. Así, todos los años el Ministerio de Sanidad propone un calendario de vacunaciones que los pediatras se encargan de anotar o adjuntar a nuestro carnet de vacunas.

–Ha llegado la hora, cariño. Mañana os toca ir a que le pongan la segunda dosis de Prevenar®.

El Prevenar® es una vacuna que previene de los virus causantes de enfermedades como la meningitis, la neumonía o la otitis media, entre otras. Tras la prueba del talón, mi pareja decidió que era incapaz de ver cómo sufría nuestra hija con las inyecciones y que yo estaba más preparado para este tipo de tareas. Por lo visto, su estrategia consistía en hacer recaer sobre mí todo lo que supusiera hacer llorar a la niña: curar heridas, poner inyecciones, utilizar el sacamocos…

Así que, cuando el calendario de vacunaciones lo indicaba, me tocaba coger a la niña y llevármela, muy a mi pesar, como a un cerdo camino del matadero. Nada más ver aparecer a alguien con bata blanca mi hija ya se ponía a llorar. Y yo, por supuesto, entendía perfectamente los motivos. Ella me miraba con ojos de desesperación, y yo, mirando en otra dirección, sin soltarla de mis brazos, me consolaba pensando que hacía todo aquello por su bien.

Nuestro drama se repitió durante toda la infancia de mi hija. Cada vez que la enfermera le clavaba una aguja en el muslo y yo giraba la cabeza para no mirar, me imaginaba la que sería la futura voz de mi hija que me preguntaba: «Judas, ¿por qué me has traicionado?».

HORROR EN EL HIPERMERCADO

Llegó la hora de rascarse el bolsillo y empezar a recortar algunos de los «caprichitos» que os permitíais cuando erais solo dos. El nuevo miembro de la familia necesita muchos complementos y, aunque no lo creas, no los subvenciona el Estado.

La lista de la compra ha aumentado significativamente y la parte destinada a tu ocio y aficiones ha menguado hasta desaparecer. El dinero destinado a las vacaciones de verano se ha invertido en un carrito de paseo último modelo, una silla para el coche con ISOFIX y una mecedora semiautomática con música incluida. Las salidas a cenar y las escapadas de fin de semana se han sustituido por visitas constantes a casa de tus suegros o de tus padres.

Tus visitas al hipermercado son cada vez más frecuentes y el tiempo que pasas en la sección de bebés rodeado de leches, tetinas y pañales empieza a ser preocupante. Todavía recuerdas cuando pasabas horas en la sección de cervezas tratando de decidir cuál ibas a probar esa noche.

La televisión y las revistas no ayudan, con sus consejos engañosos, y empiezas a pensar que todo se trata de un complot a nivel mundial y que hay alguien detrás de todo esto que pretende enriquecerse a nuestra costa, a costa de los padres primerizos...

Mala leche

Sí, amigo, nos toman el pelo. Es imposible que un ser humano de tamaño tan reducido necesite tantos artilugios y cachivaches para llevar una vida normal. ¿Cómo es posible que haya tanto negocio alrededor de los bebés? Tiendas especializadas, revistas, blogs... En todos ellos se nos presentan miles de productos que resultan ser imprescindibles para la «supervivencia» de los recién nacidos. Los padres primerizos, guiados por nuestra total inexperiencia, caemos en las manos de vendedores experimentados o sabios consejeros con pocos escrúpulos, que nos hacen invertir buena parte de nuestro dinero en objetos que terminan por tener una escasa utilidad o cuyo tiempo de uso es extremadamente corto para el provecho que le acabamos sacando.

El doctor Spengler

En mi época de padre primerizo, llegué a la conclusión de que, tras este mercado inagotable de productos para la infancia, existía algún tipo de complot. Durante meses desarrollé una estructurada teoría conspiratoria en la que imaginaba al responsable de todos esos artilugios espiándonos con pequeñas *webcams* ocultas de manera estratégica en los lugares de venta y partiéndose de risa cada vez que un padre primerizo adquiría uno de sus inútiles productos: «¡Ja, ja, ja! ¡Otro bobo que compra el Chorongueitor!».

Me lo imaginaba tan claramente que terminé bautizándolo como *doctor Spengler*. Este se reunía una vez a la semana para tomar el té con los dueños de otras grandes empresas reconocidas a nivel mundial, y en esas sesiones diseñaban nuevos productos con los que reírse a costa de los ilusos compradores. Por lo demás, siempre los imaginaba rascándose la espalda con magníficos rascadores de marfil.

Creo que una vez vi un rascador de esos en casa de mi tía «la rica». Por si no supierais a qué me refiero, se trata de un bastoncito de madera noble rematado en uno de sus extremos con una manita tallada en fino marfil en pose de rascar. Desde entonces, siempre que pienso en una persona adinerada, me la imagino rascándose la espalda con uno de estos rascadores.

La invención del sacamocos

El doctor Spengler es responsable de algunos productos que ya he comentado anteriormente, entre ellos, el sacamocos. El día que inventaron el sacamocos, todos los asistentes a la cita semanal propusieron idear algún tipo de motor que succionara las mucosidades. De esta manera, el padre primerizo no tendría que correr el peligro de aspirar accidentalmente ningún tipo de mucosidad, pero entonces el genial doctor paró los pies al resto: «¿Y por qué no le ponemos un tubito de silicona y que haga el padre el trabajo sucio? ¿Os imagináis lo que nos vamos a reír?». A todos les pareció una estupenda idea, e incluso alguno lo felicitó diciendo: «¡Hay que ver qué mala leche tienes, Spengler!».

El vigilabebés con cámara

Otro de los grandes éxitos del doctor Spengler es el rediseño del fantástico y funcional vigilabebés. La versión inicial consistía en una pareja de *walkie-talkies,* de los cuales uno hacía únicamente de emisor y el otro de receptor. Esto permitía a los padres dejar el emisor junto a la cuna del bebé y poder, por ejemplo, ir a cenar tranquilos a la cocina llevándose el receptor, por el que se oía cualquier llanto o sonido anómalo que se produjera en la habitación de la criatura.

El producto cumplía su función a las mil maravillas, y permitía a los padres estar algo relajados durante las siestas del bebé. Según parece, esto no divertía al doctor Spengler, así que se le ocurrió rediseñar el producto añadiendo una cámara de visión nocturna. Con esto consiguió, por un lado, duplicar el coste del producto y, por otro, que los padres, en lugar de estar relajados cenando o viendo una película, se pasasen la velada sin quitarle el ojo a la cámara de vigilancia. ¡Todo un maestro, doctor Spengler!

¡Una caja!

Mi hermano pequeño se moría de ganas de ser el primero en entregarle a su sobrina el regalo de cumpleaños. Salió del coche cargando una enorme caja envuelta con papel de regalo y decorada con un lazo rojo y una pegatina con el texto de *Felicidades* que sujetaba una piruleta con forma de corazón. Todos aplaudimos emocionados, ¡menudo regalazo! Mi hermano dejó el enorme regalo frente a la niña, que estaba sentada en la alfombra metiéndose, como siempre, la mano en la boca. La pequeña, al ver aquel enorme paquete, reaccionó como se puede esperar de cualquier bebé: se sacó los dedos de la boca y se dispuso a probar el papel de regalo.

Antes de que comenzara a chupar, mi hermano y yo la ayudamos a abrir el regalo, que se trataba, ni más ni menos, de un estupendo coche de carreras antiguo adaptado con pedales y asiento para ser pilotado por bebés. A todos nos pareció fabuloso, y no tardamos ni un segundo en subir a la niña en el coche y hacerle una completa sesión de fotografías. Al rato, cuando ya estábamos sentados en el sofá, nos dimos cuenta de que charlando, charlando, habíamos perdido de vista a la niña.

—¿Dónde está la peque? —preguntó mi pareja.

Me levanté y eché un vistazo rápido a la sala de estar. Sobre la alfombra seguía inmóvil el flamante coche nuevo, pero al lado de uno de los sofás y junto al montón arrugado que formaba el papel de regalo, algo se movía en el interior de la caja del coche:

—¿Cómo es posible? —dije—. La niña no le ha hecho ni caso al coche y está jugando dentro de la caja.

Pensamos que esta situación cambiaría con la edad y que tarde o temprano acabaría prestándole a aquel coche la atención que se merecía, pero no fue exactamente así, pues para cuando intentó ponerse a conducirlo, las piernas ya no le entraban dentro. Se le había quedado pequeño.

Algo parecido ocurrió con un juguete que le regalaron a la niña para distraerse en la bañera y que consistía en un montón de toboganes, ruedecitas y otros accesorios que se ensamblaban unos con otros formando una especie de miniparque acuático en el interior de la bañera, por el que podías deslizar a tres pequeños pingüinos de goma ataviados con flotadores y bañador. A simple vista, me pareció una idea genial, pero dejó de parecérmelo tanto en cuanto me dispuse a montar todo aquello media hora antes del baño, pues fue mucho más complicado de lo que me imaginaba.

Cuando hube terminado y metí a la niña en la bañera, le demostré lo divertida que resultaba aquella estructura lanzando a uno de los pingüinos por el tobogán principal. La niña, con curiosidad, cogió al pingüino que flotaba en el agua y, sin pensarlo dos veces, se lo metió en la boca. «¡Pero, bueno! ¿Quieres dejar de meterte las cosas en la boca?». El resto del baño me lo pasé yo jugando con los pingüinos mientras ella miraba. No le hizo ningún caso y lo peor de todo es que, por lo visto, no lo enjuagué bien al vaciar la bañera y me lo encontré al día siguiente recubierto de una película viscosa que habían formado los restos de jabón. Tuve que desmontarlo todo y meterlo en el lavavajillas. Por supuesto, nunca más volví a montar aquel derroche de diversión.

Si algo he aprendido en todo este tiempo es que hay un regalo que siempre sorprende a mi hija, le alegra sobremanera y fomenta su inagotable creatividad.
Si quieres sorprenderla el día de su cumple, haz como yo, y agénciate la caja de una nevera, de una lavadora o incluso una de zapatos. Éxito garantizado.

Los pañales, ¿con o sin alas?

Ir a hacer la compra es relativamente sencillo. Basta con que nos hagan una lista con cada producto que hace falta que compremos y listo, ¿no? Pues no. No es para nada así de fácil, sobre todo porque existen infinidad de artículos que podríamos llamar *productos trampa*. Los llamo así porque son aquellos con los que nunca aciertas, lo hagas como lo hagas y te lo montes como te lo montes: nunca le parecerán bien a tu pareja.

Sistema infalible

Siempre nos pasaba lo mismo; cuando a uno de los dos nos venía de camino hacer la compra, llamaba por teléfono al otro y le hacía la fastidiosa pregunta: «¿Falta algo?». De esta manera, siempre comprábamos a ciegas, lo comprado nunca satisfacía las necesidades reales de la familia y, en muchas ocasiones, tocaba volver a por los artículos realmente necesarios.

La otra situación que se daba era la de hacer la lista de la compra justo antes de salir de casa. En ese caso, nos pasábamos casi media hora revisando por toda la casa si faltaba de algo: en el cuarto de baño, la despensa, la nevera, el armario de limpieza... Y así era imposible ser eficientes.

Desde hace años, por tanto, hemos pasado a utilizar un sistema que me parece ideal para la gestión de la compra y que, de hecho, recomiendo a amistades y familiares. El soporte físico de dicho sistema consiste en una pequeña pizarra colocada junto a la nevera. En nuestro caso, es una pizarra de rotuladores de esos que se borran fácilmente, aunque el sistema funciona igual con una pizarra de tizas, si bien resulta un poco más sucio.

La clave, como podréis imaginar, no está en la pizarra, sino, principalmente, en escribir una lista de los productos que son totalmente imprescindibles y disponer siempre de un doble *stock* de ellos. Por ejemplo, sabemos que no podemos quedarnos sin toallitas de bebé; por lo tanto, cada vez que vamos al lugar donde las guardamos y comprobamos que cogemos el penúltimo paquete, vamos a la lista de la cocina y apuntamos las toallitas. Lo mismo hacemos con la leche, los cereales, el suero fisiológico o, en mi caso, con el café: no hay nada más horrible que levantarse por la mañana y percatarse de que te has quedado sin café. El resto de productos cotidianos no tan imprescindibles se pueden ir apuntando conforme se van consumiendo. El día a día va diciendo con cuáles de ellos hay que estar más atentos.

Cuando llega la hora de poner en marcha el sistema, es decir, cuando llega la hora de ir a comprar, basta con hacerle una foto a la pizarra con el teléfono móvil o pedirle a tu pareja que te la envíe en un mensaje. Como cualquier sistema, por muy infalible que sea, siempre existe la posibilidad de error debido al factor humano, ya que, si no adquirimos el hábito de apuntar con disciplina cada producto en el momento adecuado, nos podemos encontrar una mañana con que tenemos al bebé «rebosando» y nos hemos quedado sin pañales.

¿Con o sin alas?

Creo que no soy el único al que le ha sucedido encontrar en la lista de la compra, justo entre los plátanos y la pasta de dientes, la palabra «compresas». Cada vez que aparecen las compresas en nuestra pizarra me da *yuyu*, pues existen tantos modelos y formatos que los supermercados les han reservado un pasillo entero solo para ellas: «con alas normal», «sin alas maxi», «con alas normal plus», «con alas súper», «con alas súper plus»… y así hasta el infinito. Imagino que debe de ser una experiencia alucinante ponerse una «súper plus maxi con alas», ¿no? ¿Existe algún producto más complicado de comprar para los hombres? Yo creía que no hasta que tuvimos a la niña y me adentré en el fabuloso mundo de los pañales. ¡Dos pasillos enteros llenos de pañales de distintos formatos!

Algunos modelos de pañales

Existe un pañal para cada edad, que en realidad se mide según el peso del bebé. Voy a tratar de identificar los más característicos, para ayudaros en vuestras incursiones al supermercado:

1. Pañales para recién nacido. Son los pañales más pequeñitos del mercado. A veces, si el bebé es muy pequeño, el pañal se le queda por debajo de los sobacos y es normal que no le ajuste completamente. Si tienes una niña, podrás guardar alguno de estos pañales para que lo use con sus muñecas. Los podrás encontrar con indicador de humedad, que hace que cambie el color del pañal cuando el bebé se ha hecho pis. Al principio te puede parecer interesante, pero enseguida tus manos se convertirán en auténticos «detectores de deposiciones».

2. Pañales de actividad. Conforme los bebés van creciendo les va aumentando la talla de pañal y sus necesidades. Es entonces cuando entran en juego los pañales especiales para facilitar la movilidad del bebé; por supuesto, en diferentes formatos, mini, maxi y cagón. También están los modelos que aseguran doce horas de absorción durante la noche. ¿Doce horas? ¡Si nuestro récord durmiendo de un tirón fueron cinco horas escasas!

3. El bragapañal. Es otra alternativa a los pañales convencionales, indicado para los niños más mayores. Son cómodos, se suben y bajan con facilidad y no hay peligro de que en un descuido manchen la ropa. Se sujetan gracias a una cintura flexible y se colocan como unas braguitas. Son perfectos para los niños que están empezando a dejar el pañal.

4. Los pañales de tela. Ya hemos hablado de la cantidad diaria de pañales usados que genera un bebé, pero no del daño medioambiental que generan. Para luchar contra esto, existe la opción de los pañales de tela, con los que tendremos que hacer una mayor inversión inicial, pero que a la larga resultarán más económicos, ya que se pueden reutilizar, y aunque generen un mayor trabajo al tener que limpiarlos, supondrán un menor coste para el medio ambiente. Según dicen, los pañales de tela son muy útiles en el primer mes de vida o cuando el bebé tiene la piel muy irritada.

5. Los pañales bañadores. Son desechables y protegen igual que un pañal clásico, con la diferencia de que no se hinchan al contacto con el agua. Algunos parecen un bañador de verdad, diseñados con motivos y dibujos infantiles, que además incorporan laterales elásticos para un ajuste cómodo y envolvente y protección antifugas. Resultan imprescindibles para no llevarse una sorpresa durante las clases de matronatación.

Aparte, cada marca ofrece su propia tecnología con diferentes tipos de absorción, suavidad y diseño. Existen modelos que diferencian entre niño y niña, pues, tras haber estudiado exhaustivamente miles de pañales usados, han concluido que cada sexo mancha más unas zonas del pañal que otras. ¿Pensabas que tu trabajo era duro? ¡Imagínate pasarte el día analizando pañales usados!

> La verdad es que no me importa en absoluto hacer la compra y, de hecho, algún que otro «producto trampa» supone un aliciente durante la misma.
> Ya me he acostumbrado a llegar a casa y tener que volver al hipermercado a devolver el producto que no le gusta a mi pareja. Por ello, durante cada compra, hago una porra mental y juego conmigo mismo a ver si acierto: «¿Con qué producto la habré cagado hoy?».

Esto es la ruina

Donde comen dos, comen tres, sí, pero también es cierto que no comerán la misma cantidad. Las finanzas domésticas son matemáticas, y quien diga lo contrario te está engañando. Es verdad que, si has preparado lentejas para comer y viene un amigo por sorpresa, puedes sacar un plato más de la olla o repartir la comida de entre todos los platos para obtener otra ración, pero esto no funciona con los bebés: no son un invitado que viene a comer y se va. Se trata de un familiar que ha venido a quedarse para rato, probablemente para el resto de vuestras vidas.

La llegada de un bebé supone un gran gasto en cualquier familia, independientemente de la situación económica que se disponga antes de su llegada. Dejo a continuación algunos consejos para intentar evitar que el nuevo miembro de la familia se convierta en una ruina para la misma.

Pide, no dejes que te regalen

Existen fechas ineludibles para que tus familiares y amigos se sientan en la obligación de hacerle a la criatura algún tipo de regalo. En esas ocasiones, al igual que en las bodas, tenéis tres opciones:

1. No hacer nada y esperar a que cada uno os regale lo que más le apetezca en ese momento. Desde mi punto de vista, esta es la opción menos recomendable, ya que os podéis encontrar con gran cantidad de regalos que cumplan alguna de las siguientes tres premisas o incluso todas a la vez: que no os guste a vosotros (por ejemplo, el típico vestido con puntillas, cuando tu pareja y tú las odiáis a muerte), que no le venga bien al bebé (por ejemplo, el vestidito playero que le empieza a venir bien al bebé en diciembre) o que no os haga ninguna falta, por ejemplo, un gorro de invierno con forma de vaca. Y, en este último caso, ¡atención!, si además decís que os gusta el regalo, podéis sentar precedente y hacer que a partir de ese momento todo el mundo os empiece a regalar cosas con forma de vaca: «¿No dijiste que te gustaban las vacas?».

2. Repartir un número de cuenta, como se ha llegado a aceptar socialmente en las bodas. Esta, sin duda, sería la mejor opción, pues podríais comprar lo que realmente os apeteciera. Incluso os podríais regalar un fin de semana de spa para vosotros. Lo malo es que aún no está del todo bien vista. Pero todo llegará.

3. Hacer una lista de bod...; digo..., ¡una lista para el bebé! Es la opción más recomendable en la actualidad. Lo más sensato es perder la vergüenza a pedir y buscar a un familiar o amigo responsable que se encargue de repartir la lista de regalos entre los asistentes a la celebración. De esta manera, podéis permitiros, por ejemplo, que entre todo un grupo de amigos os regalen el carrito que os gusta o la bañerita *Spengler* con cambiador anatómico incluido. Además, haréis un gran favor a más de uno, facilitándole la elección del regalo.

Baby showers

La opción de la lista del bebé se está adoptando cada vez más en las ya habituales *baby showers*. Estas son fiestas cuya única finalidad es dar la bienvenida al nuevo bebé y «bañar» o «colmar» a la madre con una «ducha de regalos». Tradicionalmente, las *baby showers* solo se celebraban con el primer hijo de la familia, y solo las mujeres estaban invitadas. El propósito original era que las mujeres compartiesen la sabiduría y las lecciones sobre el arte de convertirse en madre. Con el tiempo, se ha popularizado celebrarla también con los siguientes hijos o con los adoptados. Tampoco es raro que se celebre más de una *baby shower* por hijo; por ejemplo, una con los amigos y otra con los compañeros de trabajo. Las *baby showers* suponen una alternativa a otras celebraciones tradicionales alrededor del nacimiento de los hijos, tales como los bautizos.

Perder el miedo a las cosas usadas

Siendo primerizos, es normal que deseemos que nuestro primer hijo estrene todos y cada uno de los artículos que tengan contacto con su piel. Tenemos la extraña sensación de ir a defraudarlo o crearle un trauma si no lo hacemos. Encima, nuestro entorno no ayuda en absoluto, pues parece que haya una competición entre los padres a ver quién tiene el carrito más nuevo o la cuna más molona. Nos encanta estar a la última y con nuestros hijos no queremos ser menos. Sin embargo, con el paso del tiempo nos damos cuenta de que al bebé todo ello le da absolutamente igual, y que lo único que se ha resentido es nuestro bolsillo o el de nuestros familiares y amigos.

Estamos rodeados, en la mayoría de ocasiones, de familiares, amigos, y conocidos que han dejado atrás la crianza de bebés y que seguro se encuentran ansiosos de vaciar sus armarios y trasteros de cosas que seguramente puedes aprovechar. Por otro lado, están proliferando las tiendas y *apps* que venden artículos de bebé de segunda mano a precios muy interesantes. ¡Piérdele el miedo a los productos usados! A la larga, tu bolsillo lo agradecerá.

Piensa en sus hermanitos

Sé que aún es pronto para pensarlo y que quizás ni te lo hayas planteado, pero detente y piénsalo unos segundos: ¿le vas a dar hermanitos a tu hijo? Si después del primer bebé no os habéis practicado la ligadura de trompas o la vasectomía quiere decir que habéis dejado la puerta abierta para la llegada, tarde o temprano, de un posible hermanito, ¿no es así?

Si es este vuestro caso, recomiendo pararse a pensar un poco a la hora de adquirir cierto tipo de productos que suponen un elevado coste, y que algún día un posible hermano o hermana podría heredar simplemente por haber tomado la decisión de elegir un modelo unisex. Algunos de estos artículos podrían ser carritos, cunas, bicicletas, sacos de dormir, buzos, patines... Con esta opción, no solo conseguiremos ahorrar sino que, además, esquivaremos el tópico de que las niñas tienen que ir de rosa y los niños de azul.

Buscar en Internet

Hoy en día, Internet permite acceder a gran cantidad de información sobre bebés en blogs y sitios web especializados. Gracias a ellos, podemos conocer la opinión de otros padres sobre el producto que queremos comprar, la valoración que le otorgan tras su uso o posibles recomendaciones de otro producto similar y con mejores prestaciones. Se podría decir que el 100 % de los artículos que necesitan nuestros bebés se pueden adquirir en cuestión de segundos con cualquier dispositivo conectado a la red y, en muchas ocasiones, a mejores precios que en las tiendas físicas. Eso sí, perderemos la calidez del trato humano y a veces nos sentiremos decepcionados al no ser el artículo recibido exactamente tal y como nos lo imaginábamos.

Dicen que si una persona fumadora ahorrara todo el dinero que se gasta a diario en tabaco, podría terminar comprándose un deportivo. ¡Imaginad lo que podríais comprar si os ahorrarais todos los productos para el bebé! Sinceramente, creo que cuanto más tienes, más gastas, y esto termina siendo como el cuento de la lechera, pues yo no he fumado en mi vida, y os aseguro que no tengo un deportivo aparcado en el garaje.

PARQUE KRUEGER

Un día, en un cumpleaños del cole de mi hija, estuve aguantando durante más de una hora y media a un padre que no dejó de hablarme de lo listo que era su hijo y de lo bien que lo hacía todo. Entre la mala leche que me entró al tener que aguantar la cháchara y el griterío ensordecedor del parque de bolas, llegué a casa con un dolor de cabeza que hizo que me quedara dormido de manera fulminante en el sofá.

En mis sueños, volví al parque de las bolas, donde, por desgracia, el padre coñazo seguía dándome lecciones. De repente, todo el mundo empezó a gritar al ver emerger del interior del parque de bolas a Freddy Krueger, con cara de pocos amigos. Los niños huían despavoridos mientras Freddy hacía trizas con sus cuchillas el castillo hinchable, tras lo cual fijó su terrorífica mirada en nuestra dirección. El padre cansino, ajeno a lo que estaba sucediendo, hablaba sin parar, mientras que yo, paralizado, no podía huir ni tampoco dejar de contemplar la escena. Al llegar a nuestra altura, Krueger separó los dedos mostrándonos sus afiladas cuchillas y, sin decir ni una palabra, atravesó al papá *brasas* con un violento movimiento. Justo en ese momento, mi pareja me despertó asustada y me preguntó:

—¿Con qué soñabas? ¿Estás bien? Estabas poniendo una horrible sonrisa de malvado.

A lo que yo respondí, somnoliento:

—Nada, cariño: con el parque Krueger, soñaba con el parque Krueger.

Padres helicóptero

Si hubiera que marcar en un calendario la primera vez que un bebé entra en sociedad, diría claramente que ese día es el primero que lo llevamos al parque, sí, a ese parque con algunos columpios y bancos donde en adelante llevaremos tan a menudo a nuestro bebé a que le dé el aire. En este lugar, no solo pondremos a prueba las habilidades motrices de nuestro hijo, sino que también aprovecharemos para comprobar sus habilidades sociales.

Por primera vez, podrá interactuar con otros niños desconocidos y, aún más importante, nosotros empezaremos a relacionarnos con sus padres. Este puede llegar a ser uno de los puntos más delicados en nuestra etapa como padres primerizos, pues, de entrada, lo único que tenemos en común con estas personas es que también hemos tenido un hijo y que nos quedan muchas horas de parque por compartir.

¿Qué padre eres?

A grandes rasgos, podríamos definir varios tipos de padres según la forma de educar a sus hijos:

1. Padres autoritarios. Son los que marcan unas normas muy exigentes y unas altas expectativas para sus hijos, sin necesidad de escuchar la opinión de estos. Para este tipo de padres, no existe ningún tipo de negociación con sus hijos.

2. Padres permisivos. Estos padres no dejan claras sus normas o, si las dejan, no son estrictos con su cumplimiento. Están muy abiertos a los sentimientos de sus hijos y les gusta tratarlos como «colegas».

3. Padres democráticos. Son padres que marcan las reglas y expectativas que esperan que sigan sus hijos pero que están abiertos a escuchar sus opiniones sobre las mismas, animándolos a encontrar juntos soluciones creativas a los problemas planteados.

4. Padres negligentes o indiferentes. Se trata de padres con bajos niveles de afecto, exigencia y comunicación hacia sus hijos. Suelen darse en el seno de familias desestructuradas.

¿De verdad «nos» hemos caído?

Gracias a un amigo bloguero descubrí la existencia de un término para definir un tipo de comportamiento característico de muchos padres, que ya había detectado pero que no entraba dentro de los grupos anteriormente descritos. Me refiero a la expresión *padres helicóptero,* que se refiere a ese tipo de padres que se empeñan en sobrevolar constantemente la vida de sus hijos, alertándolos continuamente sobre posibles peligros, evitándoles que cometan errores y solucionándoselos una vez los han cometido. Son esos padres que persiguen a sus hijos por todo el parque sin quitarles el ojo de encima, padres que discuten con otros niños para defender al suyo o que dan lecciones a otros padres sobre cómo deben educar a sus hijos.

Este fenómeno es comprensible en las primeras etapas de la vida de nuestros hijos, pero empieza a ser preocupante cuando los niños crecen y los padres siguen ocupándose de las tareas y conflictos a los que aquellos ya deberían hacer frente por sí solos: atarse los zapatos, cortar la carne, pedirle algo a un adulto… Una prueba ideal para saber si os estáis comportando como padres helicóptero es escucharos a vosotros mismos cuando habláis de vuestro hijo y analizar si decís frases como estas:

—Hoy nos hemos caído en el parque (cuando es solo el niño quien se ha caído).

—Hoy tenemos un montón de deberes (cuando es él quien los tiene).

—Mañana tenemos partido (cuando es él el que juega, no tú).

De todos modos, solemos ver este tipo de comportamientos antes en los otros padres que en nosotros mismos, y a veces juzgamos sin darnos cuenta de que nosotros también llevamos un padre helicóptero en nuestro interior. Seguro que en muchos momentos de nuestra paternidad, y sobre todo cuando somos primerizos, nos comportamos como auténticos helicópteros de seguridad tratando de proteger a nuestras criaturas.

Muchos padres helicóptero empiezan con buenas intenciones, pues es muy difícil encontrar el equilibrio al tratar de comprometerse con nuestros hijos y sus vidas pero sin perder la perspectiva de lo que realmente necesitan. Es necesario que los niños aprendan a aceptar fracasos, asumir errores y superar retos. Si nunca se equivocan o cuando lo hacen siempre está allí papá para solucionarlo, no desarrollarán la confianza en ellos mismos ni la autoestima.

Grupos de Whatsapp

El fenómeno de los padres helicóptero se acentúa notablemente cuando los niños empiezan a tener exámenes y deberes. Los padres y madres helicóptero actuales, organizados a través de grupos de Whatsapp, se encargan de supervisar las tareas que no ha podido apuntar su hijo en clase, preguntan por el resultado de un problema o directamente se quejan de lo mucho que tienen que estudiar para el examen del día siguiente, como si fuesen ellos los que se presentaran a la prueba.

Yo, directamente, me he declarado «anti grupos de Whatsapp del cole». Sé que es una posición cómoda y un tanto cobarde, pues le he dejado el «marrón» enterito a mi pareja, pero pienso que, con todo este tejemaneje que nos traemos los padres, hacemos un flaco favor a nuestros hijos.

«Tierra ¡mena, mena!»

Son las 11:30 de un cálido sábado de mayo y te encuentras en tu parque de confianza columpiando a tu hija. En eso se te acerca otro padre al que conoces de vista pero con el que nunca has tenido ocasión de hablar. Lleva de la mano a un niño de edad parecida a la de tu hija. Saluda con un «hola» y empieza a columpiar a su pequeño con alegría. Quizás con demasiada alegría, para tu gusto, pues no deja de decirle cosas al niño con esa voz infantiloide que tanta rabia te da:

—¿Tí? ¿Le *guta* a mi nene? ¿Le *guta* el columpito? ¿Le *guta*?

Creo sinceramente que no hacemos ningún bien a los niños cuando les hablamos de esta manera ¿Qué se les pasará por la cabeza? Muchas veces intento imaginármelo: «¡Vaya!, ¡ya le ha vuelto a dar un aire a mi padre! ¡Con lo normal que parecía!». De repente, el padre interrumpe tus ensoñaciones y pregunta, cogiéndote totalmente por sorpresa:

–¿Cuánto tiene?
–¿Qué? ¿Cuánto tiene de qué? –respondes, confundido.
–La niña, que cuantos años tiene…

Es con esta frase con la que se inicia todo; es la frase mágica para entablar una conversación con otro padre o madre. Si contestas a esta sencilla pregunta, estarás aceptando las reglas no escritas del juego, que dicen que, una vez has contestado dando la edad de tu hijo, ya se puede hablar de cualquier tema o realizar cualquier tipo de pregunta, por muy íntima o personal que esta pueda resultar.

–¿La llevas a solfeo?
–¿A solfeo? Si todavía no ha cumplido el año… –dices sin dejar de columpiar a tu hija.
–¡Un año! Con un año, mi Manolín ya iba a primero de piano, a clases de inglés y sabía montar en bici sin ruedines.

Tú, aturdido, miras a tu hija, que, ajena a la conversación, disfruta del balanceo del columpio cerrando los ojos, y luego miras al pequeño Manolín, que hace rato se ha bajado del columpio y está sentado en el suelo metiéndose puñados de tierra en la boca y diciendo:

–Tierra, ¡mena, mena!

Vuelves a mirar a su padre y le contestas con tono irónico:

–Oye, tienes que llevarlo a que lo miren, ¡a ver si va a ser superdotado!

Amigos para siempre

No hay fiesta más grande en el mundo que el primer cumpleaños de tu hijo. Todas las celebraciones parecen poco y, como todavía no tiene pandilla de amigos y sentís no poder invitar a más niños a su fiesta, acabáis invitando a todos los miembros de vuestras familias respectivas, para que hagan bulto.

En el primer cumpleaños de mi hija hicimos una superfiesta en el jardín de mis suegros. Necesitábamos un lugar amplio y, aunque estábamos en otoño, el tiempo acompañaba. El jardín estaba completamente decorado con guirnaldas y globos. Habíamos comprado sombreritos de papel para los invitados y del níspero colgaba una fabulosa piñata. La canción del *Señor Don Gato* sonaba a todo trapo en el equipo de música: aquella fiesta iba a ser la bomba, nada podía fallar.

Además, llevaba semanas preparando una sorpresa para aquella ocasión. Con los vídeos que había grabado durante el primer año de vida de mi hija, había realizado un montaje casero con diferentes canciones y transiciones entre cada vídeo. Condensar un año de vida en un solo vídeo no es tarea fácil, y, en este caso, el resultado final terminó ocupando 14:36 minutos.

Me moría de ganas de sorprender a todos con la película, así que, cuando aún no habíamos acabado de merendar, reuní a todos alrededor de la mesa en la que tenía preparado mi ordenador portátil conectado a unos altavoces. Subí el volumen a tope y pulsé el botón de *play*. El vídeo comenzaba con algunas imágenes que había podido grabar el día del parto, en las que la matrona pesaba y vestía a la pequeña. Las ovaciones de los asistentes no se hicieron esperar: «¡Oooooooh!», dijeron todos al unísono. El vídeo continuaba con escenas en las que algunos de los familiares presentes cogían en brazos a la niña, lo que levantó voces del estilo: «¡Esa soy yo!». Hasta aquí todo iba sobre ruedas.

Lo malo vino a partir del minuto 4:28, pues, por lo visto, las imágenes en las que aparecíamos la niña y yo paseando por la playa o mi pareja ayudándole a dar sus primeros pasos dejaron de parecerles de interés a los invitados del fondo, que habían comenzado a hablar entre ellos. Traté de mantener a la audiencia expectante, diciendo en voz alta: «Ahora viene lo mejor, que es el día en que empezó a andar ella solita…». La verdad es que mi propia voz me resultó un poco ridícula, pero no fue hasta el minuto 8:47 en que me di cuenta de que realmente estaba aburriendo a los invitados.

¿Qué estaba haciendo? Me estaba comportando como los novios recién casados que te invitan a su casa para enseñarte el vídeo completo de la boda. «¿Seré palizas?», pensé. Así que, un poco sofocado, decidí parar el vídeo en el minuto 9:14 y, efectivamente, nadie protestó. Solo una tía de mi pareja y mi madre vinieron a decirme que lo había hecho muy bonito; el resto de invitados, aliviados, volvieron a la mesa donde estaba la comida y comenzaron de nuevo a charlar animadamente.

Aquel día descubrí lo pesados que podemos llegar a ser los padres primerizos cuando hablamos de nuestros hijos. Cada segundo de su vida nos parece una hazaña y cada cosa nueva que aprenden, una proeza. Nos sentimos como si fuésemos las únicas personas del mundo que han tenido un hijo y le damos la *brasa* sin ningún miramiento a todo hijo de vecino que tiene la desgracia de cruzarse en nuestro camino.

Niñas zombis

Quitando el lapsus del vídeo, hay que reconocer que la primera fiesta de cumpleaños de mi hija fue un auténtico éxito. Sin embargo, algo seguía rondando en mi cabeza: no habíamos invitado a niños y niñas de su edad. Siempre había pensado que en las fiestas de cumpleaños tiene que haber montones de niños jugando por todas partes, y en la fiesta de mi hija solo hubo adultos aburridos que comían y bebían sin dejar de hablar.

Fue durante su primer año de guardería cuando pudimos asistir al primer cumpleaños junto a niños de su edad. Los padres de la cumpleañera eran dueños de una pequeña discoteca en nuestra ciudad y habían decidido celebrar el segundo cumpleaños de su hija en aquel local un viernes a primera hora de la tarde. El lugar de la celebración nos pareció chocante, pero asistimos junto a la niña sin pensárnoslo dos veces. Nos moríamos de ganas de ver a nuestra hija interactuando con las amiguitas de la guardería.

Resultaba muy extraño ver aquella discoteca a la luz del día, decorada para una fiesta infantil y llena de niñas correteando

por todas partes. Pero, sin duda, lo que más me llamó la atención fue cómo se comportaron las pequeñas. Yo me esperaba que nada más verse se darían un beso, un abrazo y se irían a jugar todas juntas diciendo algo así como: «Amigas para siempre». Pero ni por asomo resultó así. Las niñas se comportaron como auténticos zombis, tambaleándose de un lado a otro, sin siquiera dirigirse una mirada. No hicieron otra cosa que subir las escaleras y meterse en los cuartos de baño…

La verdad es que este comportamiento me preocupó bastante. ¿Tendría nuestra hija algún tipo de problema de integración social? La fiesta no fue muy larga, y nada más llegar a casa corrí a buscar respuesta a mis preocupaciones en «San Google». Abrí el portátil y tecleé: «¿Cuándo empiezan a socializar los niños?». Hice clic en uno de los primeros resultados y con gran alivio comprobé cómo todas mis dudas se iban despejando mientras leía: «Los niños no empiezan a interactuar con otros niños hasta los 3-4 años por iniciativa propia […] Los niños son egocéntricos hasta, más o menos, los seis años. Esto que suena tan negativo es una característica necesaria en los niños. Ellos necesitan ser así, necesitan sentirse el centro del universo y creer que todo les compete y que todo les afecta para crecer con una alta autoestima y conocerse a sí mismos tanto como puedan. En otras palabras, no es recomendable soltar a un niño a conocer a otras personas si todavía no se conoce a sí mismo y, para conocerse a sí mismo, debe sentirse en el centro de todo lo que le rodea y ver cómo encaja él en ese entorno...». Leí un poco más el artículo, cerré el ordenador y me fui a dormir más tranquilo.

Algunos padres llevan a los niños a la guardería desde bien pequeños porque quieren que sus hijos socialicen con otros niños. En nuestro caso, llevamos a la niña por necesidad, trabajábamos los dos y por eso empezamos a llevarla a la guardería antes de que cumpliese el año. Con el tiempo, nuestra hija ha resultado ser verdaderamente sociable, hace amigos en cualquier lugar y en cuestión de segundos. Los profesores nos han comentado que su carácter la define como una líder dentro de su grupo de amigas, así que nosotros, guiados por estos resultados y estando en otras circunstancias de la vida totalmente distintas, tratamos de hacer lo mismo con nuestro segundo hijo, sin tener en esta ocasión la verdadera necesidad de llevarlo a la guardería tan pequeño.

Nuestro hijo, ha resultado no ser tan abierto y sociable como la niña. Al principio, pensamos que podía tratarse de algún problema psicológico o de algún defecto en el método educativo de la guardería. Pero, con el paso del tiempo, hemos ido descubriendo que cada niño nace con un carácter distinto y una personalidad totalmente independiente. Lo que es válido para unos puede no funcionar para otros; ninguna técnica funciona igual con dos personas distintas, y aunque a veces no lo podamos creer, sí, los niños también son personas.

Días de lluvia

Cuando vives en una ciudad donde casi siempre hace buen tiempo, te vuelves flojo. Permitid que me explique. Vivo en Castellón de la Plana, junto al Mediterráneo, y, la verdad, aquí no sabemos lo que es el frío. La temperatura más baja que recuerdo durante un día de invierno puede que fuera de cinco o seis grados, y las lluvias son bastante infrecuentes. En esta zona, un aviso de mal tiempo en la tele nos pone nerviosos y nos hace cancelar planes. Parece que le tengamos miedo a la lluvia y el frío, pero en realidad creo que somos inconformistas por naturaleza: si hace un día gris o llueve, nos quejamos del mal tiempo, pero si sale el sol, nos pasamos el día despotricando del calor.

Cuando tienes un bebé, el tiempo afecta especialmente. «¿Tendrá frío? ¿Tendrá calor? ¿Lloverá?». Las dudas nos asaltan y, para intentar disiparlas, en la mayoría de ocasiones terminamos abrigando a los niños como si nos fuésemos a la Antártida.

El dichoso body

El *body* es esa prenda que parece una camiseta interior para bebés y que se abotona bajo la entrepierna. Su misión es impedir que se le suba la camiseta al bebé cada vez que alguien lo coge en brazos y se le destapen la espalda o la barriga. Mi suegra y mi madre son fanáticas de esta prenda, no podían soportar ver a la niña sin *body*. En un mismo día me echaron la bronca las dos por haber sacado de casa a la niña sin él. ¡Pero si estábamos a mediados de junio! Nuestra pediatra nos había dicho que no nos excediéramos abrigando al bebé; que a los bebés los debemos vestir tal y como nos vestiríamos nosotros mismos. ¿Tú tienes calor? Pues quítale ropa. ¿Tienes frío? Pues ponle una mantita. Así de fácil. Eso sí, recuerda que, si le vas a poner *body,* debe ir por encima del pañal y por debajo del resto de la ropa. La ropa no funciona como las matemáticas, ya que, si alteras el orden de los factores, te criticarán sin piedad, por mucho que expliques que el producto es el mismo.

El centro comercial

Dos de mis primos viven desde hace años en Suecia, y me cuentan que allí se puede pasar fácilmente cuatro o cinco semanas seguidas sin parar de llover, con viento y frío, y, a pesar de todo, los padres siguen llevando a sus hijos al parque a diario. Es el clima que les ha tocado y han tenido que acostumbrarse. En cambio, cuando caen cuatro gotas en nuestra ciudad, todo el mundo echa a correr como si cayeran gotas de ácido sulfúrico del cielo. Nos da por cancelar de inmediato cualquier salida programada y nos encerramos en nuestras casas en espera de que amaine.

Pero la posibilidad de pasarnos todo un fin de semana sin salir de casa se nos presenta angustiosa, y tampoco nos sentimos preparados para ir al parque de los columpios bajo la lluvia. La única opción que nos queda a los padres con espíritu aventurero es llevarnos a los niños a «dar una vuelta» por el centro comercial.

Los centros comerciales se han convertido en una meca para los padres primerizos. Los días de lluvia te puedes encontrar a gran cantidad de ellos dando vueltas sin rumbo fijo empujando sus carritos o llevando de la mano a sus críos. Cada vez más, estos centros son conscientes de la labor «humanitaria» que llevan a cabo, pues han detectado que los padres primerizos son usuarios que apenas consumen y se pasan largos ratos deambulando por las instalaciones con cara de agotamiento. Por ello, si os fijáis, existen, cada vez más, atracciones pensadas para nosotros y nuestros churumbeles: camas elásticas, cochecitos eléctricos o incluso sillones de masaje.

Parques de bolas y castillos hinchables

Sin duda, lo que más interés puede despertar en los padres primerizos son los «parques de bolas», esos paraísos para los más pequeños y, en ocasiones, reposo para los padres.

¿Qué hacían con nosotros nuestros padres sin los parques de bolas o los castillos hinchables? Todavía recuerdo con añoranza los columpios de los parques a los que mis padres me llevaban cuando era niño. Estaban fabricados, en su mayoría, con tubos de hierro soldado y pintado con vivos colores, formando magníficas estructuras con forma de torre, puente o bola. Los límites para jugar con estas estructuras los ponía tu imaginación. Caer desde lo alto de una de estas estructuras era lo de menos, y el óxido, el barro y las piedras estaban a la orden del día. Los niños desarrollábamos cuerpo y mente por igual. Recuerdo los castillos hinchables únicamente en ferias o parques de atracciones, pero creo que nunca conseguí subirme en uno.

Hoy en día, sin embargo, existen negocios de restauración que tienen como público objetivo preferente las familias con niños pequeños, y en algunos de ellos, suficientemente espaciosos, destinan parte de las instalaciones a uno de esos artefactos. Los padres pueden sentarse tranquilamente a charlar y tomar tranquilos una cerveza mientras los pequeños saltan sin descanso, como si les fuese la vida en ello. Lo malo, desde mi punto de vista, que tienen estos castillos es que solo se fomenta el desfogue físico, pues, una vez dentro, los niños se ponen a saltar sin control y parecen incapaces de jugar a algo que no termine en chichones y peleas.

Si puedo elegir, prefiero los parques de bolas, pues de alguna manera me recuerdan vagamente a las estructuras de los parques de antaño. Se han sustituido el hierro, el óxido y las piedras por suaves superficies acolchadas de colores, y el barro, por miles de pelotas de PVC de colores. En estas estructuras, los niños pueden escalar, tirarse por toboganes, arrastrarse e incluso bucear en un mar de pelotas de colores.

Un día, estuve charlando con la dueña de uno de estos parques y me explicó lo costoso que es el mantenimiento de las instalaciones, pues periódicamente tienen que vaciarlas y desinfectar tanto la estructura como cada una de las bolas. También me enseñó una enorme caja llena con objetos que aparecen en el fondo del parque cada vez que lo vacían: calcetines, coleteros, jerséis… Me dijo que una vez tuvieron que vaciarlo todo porque no encontraban a un niño que, finalmente, ¡apareció dormido en el fondo de la piscina!

Cumpleaños trimestrales

Hace unos años, se puso de moda celebrar los cumpleaños de los niños en los parques de bolas, pues suponen una alternativa a llenar nuestra casa de niños gritones y, en ocasiones, maleducados. Así, los padres que se lo pueden permitir acuerdan una merienda para los niños y algo de picar para los padres. De esta manera, gastan dinero pero, a cambio, su casa no acaba el día como si la hubiera atravesado un tornado. Con el fin de abaratar el coste del cumpleaños, hacer que todos los niños de la clase celebren el suyo y que nadie se sienta excluido, grupos de padres de los colegios ponen en marcha el «cumpleaños trimestral». Esta celebración consiste en agrupar todos los cumpleaños de la clase que coinciden en un mismo trimestre en una única fiesta. De este modo, los padres organizan de manera equitativa y económica la celebración de los cumpleaños de todos los niños de la clase, ningún niño se queda sin fiesta y todos son invitados a las fiestas de los demás. Parece utópico, pero... ¡funciona!

BENDITO FINDE

Antes pasabas toda la semana esperando a que llegara el viernes para salir corriendo del trabajo y quedar con los amigos o con tu pareja a tomar unas cañas. Los viernes y los sábados solías tener repleta tu agenda de reuniones sociales y otras cuchipandas: cenas, discoteca, cine, fútbol, viajes, excursiones… ¡No parabas en casa! Ahora, en cambio, te mueres de ganas de que llegue el viernes para pasar el fin de semana disfrutando en casa con tu bebé: salir un rato al parque, comer en casa de tus suegros, un paseo por el centro comercial… ¡Quién te ha visto y quién te ve! La noche, para ti, ha cambiado totalmente su significado, aunque a veces recuerdas con nostalgia los buenos momentos vividos. Es en esos momentos de añoranza cuando te planteas la posibilidad de dejar al bebé con alguien y volver a salir «a solas» con los amigos o con tu pareja. ¿Por qué no? Es una fantástica idea, solo debéis tener en cuenta un par de cosas sobre la persona a la que dejáis a cargo de vuestro bebé: la primera es que debe ser de vuestra absoluta confianza, ya que, de lo contrario, estaréis toda la noche preocupados y probablemente terminéis llegando a casa antes de los postres; la segunda, y aún más importante, es que, aparte de cuidar al bebé mientras estáis fuera, esa persona os debe asegurar que también lo cuidará a la mañana siguiente, que es cuando realmente os hará falta. Lástima que este segundo requisito, tan conveniente, no suele contemplarse…

Cine y cañas: ¿adiós a todo eso?

Decir que «es el fin» suena demasiado tremendista; de hecho, tener un bebé no debería suponer el fin del mundo. Es cierto que las cosas se complican un poco, pero sin duda podréis seguir llevando a cabo las actividades de ocio que realizabais tu pareja y tú. Eso sí, no las podréis hacer juntos, sino un día uno y otro el otro. Es cuestión de organización. Y, en el caso de que queráis salir los dos, necesitaréis recurrir a un cuidador o cuidadora de confianza.

El cine

Habría que tener en cuenta cuántas veces ibas antes al cine. Si eras de los asiduos, que se podían permitir asistir una vez por semana, lo tienes crudo. En cambio, si ibas de vez en cuando y quieres mantener tu rutina, existen algunas opciones para que puedas seguir yendo al cine, pues de vez en cuando seguro que podrás dejar al bebé con tu pareja y marcharte con los amigos a ver algún estreno.

Eso sí, las salas de cine cumplen unos requisitos muy peligrosos para un padre primerizo: oscuridad y sillones confortables. No necesitas más. Existen muchas probabilidades de que te quedes dormido en cuanto apaguen las luces, y lo sabes. Por ello, una opción interesante consiste en salir de casa con ropa cómoda, elegir una película que no sea de tu interés y asumir el coste de la entrada sabiendo de antemano que te vas a quedar dormido antes de los créditos. Una siesta es una siesta.

Otra experiencia que debes probar es la de llevar a tu hijo al cine siendo bien pequeño. Todos los padres primerizos lo hemos hecho, y tú no tienes por qué ser menos. Yo fui al cine con mi hija antes de cumplir los tres años, junto a otros niños y niñas de su cole. La idea se le ocurrió al padre de uno de ellos, al que le apetecía mucho llevar a su hijo al cine. A pesar de que mi hija era incapaz de estarse más de dos minutos delante de la tele, no me pareció del todo una mala idea. Además, llevaba años sin ir al cine.

Así que, sin pensárnoslo dos veces, decidimos reunirnos un viernes por la tarde frente a la taquilla de los cines del centro comercial al que solíamos ir. Allí elegimos la única película para niños que proyectaban en las salas: *El valiente Despereaux*. Les dijimos a las mamás que los padres nos encargábamos del asunto y ellas se marcharon sin decir adónde, encantadas de la vida. ¡No teníamos ni idea de dónde nos metíamos! Cinco padres y siete niños.

Pasamos primero por la tienda de chucherías del cine, donde nos gastamos una fortuna en bebidas y palomitas. Antes de entrar en la sala le dieron a cada niño un elevador de plástico rojo para el asiento. Ellos, como si se hubiesen puesto de acuerdo, los sujetaron con las dos manos sobre sus cabezas y entraron en la sala en fila india. La verdad es que aquello fue divertido, pues recordaban a los siete enanitos. Pero la primera discusión iba a surgir de inmediato, sobre dónde se iba a sentar cada uno:

—Yo quiero al lado de Carlos —dijo Pablo.
—Yo también —dijo Adriana.
—Yo quiero estar al lado de mi papá —dijo Carlos, que justamente había ido al cine solo con su madre y esta se había ido de «picos pardos» con el resto de madres.

Tras unos cuantos lloros que supuso resolver el delicado problema de combinatoria, nos encontramos por fin todos sentados, intercalándonos en los asientos los padres con los niños. El escándalo que montaban nuestros niños era brutal y las palomitas volaban por todas partes, así que me vi en la obligación de intentar poner un poco de orden en aquel caos. Me puse de pie y con voz firme dije:

—Vamos a ver, estamos en un cine, y aquí hay que estar en silencio. El que no sepa estar en silencio se irá con las mamás y no podrá ver la película. ¿Me habéis entendido?

Todos los niños asintieron al unísono con la cabeza, pero a los dos segundos volvieron a montar la misma algarabía sin ningún tipo de control. No me hicieron ni puñetero caso. Los otros padres me miraron con cara de resignación y me volví a sentar decepcionado.

—Que empiece ya —pensé—. A ver si con la película se relajan un poco las fieras...

Pero, al apagarse las luces, no fue mejor. Varios niños se pusieron a gritar y el resto los imitaron por contagio. Carlos se puso a llorar y el padre que estaba sentado junto a él tuvo que cogerlo en brazos. En cuanto empezó a proyectarse la película, una de las niñas dijo en voz alta:

—¡Tengo caca!

De inmediato, otro niño añadió:

—¡Yo también!

Y mi hija y dos niños más dijeron a su vez:

—¡Tengo pipi!

No me lo podía creer. ¡Apenas había empezado la película! Otro padre y yo salimos con todos los niños al cuarto de baño. Todos al de chicos, por supuesto. Al volver a la sala, la película llevaba ya quince minutos en proyección y concluí que íbamos a hacer de todo menos verla, de manera que respiré hondo y me limité a observar a nuestros pequeños. Para mi sorpresa, mi hija fue de las que más aguantó en la sala, pues dos de los padres se tuvieron que salir con cuatro de los niños a los veinticinco minutos del inicio de la película. Los tres padres que nos quedamos, terminamos a duras penas de ver la película con nuestros hijos sentados en brazos y semienterrados en palomitas. La experiencia constituyó una fantástica lección sobre algo que no debíamos volver a repetir en nuestra vida.

De cañas

No hay nada más delicioso que una cervecita a la luz del sol. ¿Por qué asociamos siempre el término *salir* a *salir de noche*? Una de las cosas que más te sorprende como padre primerizo es ver la cantidad de gente que sale de cañas durante el día. Cuando te conviertes en padre, cualquier momento es bueno para tomarse un respiro con tu pareja o con los amigos.

Salir de noche se ha convertido en un arma de doble filo, pues puedes pensar por un lado: «Ya que no me dejan dormir en casa, mejor me voy de fiesta». Pero, por otro lado, si ya te cuesta levantarte por las mañanas a darle el biberón al bebé, imagínate hacerlo con resaca. No compensa en absoluto. Además, deberías verte cuando sales ahora por la noche, pues tu falta de costumbre te hace parecer un caballo desbocado.

Te empeñas en recuperar en una sola noche todas las horas de juerga perdidas y te bebes hasta el agua de los floreros. Das auténtico miedo.

Por tanto, las cañas durante el día se han convertido en una opción razonable, pues no tiene sentido restarle más tiempo a las pocas horas de sueño de que ahora dispones.

Lo ideal es un bar con terraza cerca de un parque de columpios o de un parque de bolas. Intenta que no quede cerca de una carretera o de otros lugares potencialmente peligrosos para los niños. No te desesperes tratando de recrear las juergas de antaño, ya que sin duda tus mejores aliados son los que se encuentran en tu misma situación. Trata de no sacar temas complejos de conversación, pues se van a ver interrumpidos cada dos o tres minutos. Y, sobre todo, recuerda que mañana a las siete y cuarto de la mañana, independientemente de la resaca que tengas, vas a seguir siendo padre.

Miraditas en el restaurante

A los ocho meses de nacer nuestra hija, los amigos de la pandilla organizaron una de nuestras habituales comidas, en un restaurante que yo no conocía. Fuimos los primeros de nuestro grupo de amigos en tener hijos, así que me sentí en la obligación de avisar:

—Oye, nosotros iremos con la niña. ¿Supone algún problema?

—¡No, no, para nada! ¿Qué problema puede haber? —respondió el organizador de la comida—. Seguro que el sitio os encanta.

¡Y vaya si nos encantó! El comedor del restaurante tenía aproximadamente las mismas dimensiones que el de mi casa, y en su interior habían distribuido unas catorce mesas, dos de las cuales, situadas en el centro de la sala, eran las reservadas para nuestro grupo. El espacio entre mesa y mesa era el justo para que cupieran dos comensales sentados sin tocarse una silla con la otra, y el volumen de las conversaciones era tan alto que podías seguir perfectamente cualquiera de ellas sin tener que levantarte del asiento.

Así que allí aparecimos con nuestro carrito formato mono-volumen pidiendo uno por uno a casi todos los comensales de la sala que se levantaran para dejarnos llegar a nuestro sitio. El lugar era tan estrecho que tuvimos que coger a la niña en brazos, plegar el carro y meterlo debajo de nuestras sillas. A continuación, la sentamos en la silla plegable que habíamos traído de casa, retiramos todas las copas, platos y cubiertos en 60 cm a la redonda de su sitio y pedimos al camarero que calentaran un potito.

Mientras todos charlaban animadamente, yo me dediqué a darle de comer a la niña, y al terminar se la pasé a mi pareja para que le hiciera echar los aires. No sé si fue por la acústica del local o por la velocidad con la que la niña había ingerido la comida, pero aquel eructo resonó estruendosamente por toda la sala. ¡Menudo eructo! Os podéis imaginar las miradas del resto de comensales. A algunos parece que les hizo gracia la situación, pero al resto, ninguna.

Ahí no quedó todo. El estómago de mi hija funciona como un reloj suizo y tiene la costumbre de defecar regularmente después de cada comida. Así que decidió dejar uno de sus «paquetes bomba» entre el primer y el segundo plato. Mi pareja y yo nos vimos apuradísimos, pues no había un lugar mínimamente discreto donde poder cambiarle el pañal a la niña sin hacer de aquello otro espectáculo público. Nuestro amigo el organizador detectó algo raro en la expresión de nuestras caras y nos preguntó si ocurría algo.

—Es que la niña se ha hecho caca y no hay un lugar donde cambiarla. Los baños son diminutos y el carrito no cabe en ningún lado —le dije con tono preocupado.

—¿Por qué no la cambiáis encima de la mesa? —dijo mi amigo, de manera totalmente inconsciente—. Es lo más normal del mundo.

Al principio, la idea me pareció descabellada, pero al mirar a mi pareja creí leer un mensaje en sus ojos, algo apreciable únicamente después de muchos años de convivencia y complicidad. Sus ojos me decían: «Adelante, campeón, ellos se lo han buscado». Con lo que yo, ni corto ni perezoso, saqué nuestro cambiador portátil y, tras apartar platos y cubiertos, me dispuse a cambiarle el pañal a mi hija. La mirada de los presentes se volvió todo un poema, pues ninguno de nuestros amigos se podía imaginar lo que esa encantadora personita con aroma a Nenuco era capaz de esconder en el interior de su estómago. Por supuesto, pude oír de nuevo los comentarios y las críticas del resto de comensales, de manera que en cuanto acabé de vestir a la niña, y mirando de nuevo a mi pareja, dije en voz alta:

—Creo que nosotros ya nos marchamos, ¿no?

Mi pareja asintió con la cabeza, así que empezamos a despedirnos de todos. Al llegar a mi amigo el organizador, tras darnos un fuerte abrazo, me dijo:

—Oye, siento que os tengáis que ir tan pronto. La comida ha estado bien, ¿no?

A lo que yo contesté:

—¡Qué ganas tengo de que seas padre, mamonazo!

Cambio de hábitos

Tus necesidades han cambiado de manera radical, y tus prioridades en este momento de tu vida seguramente ya no sean las mismas que antes. Las ocasiones que surgen durante el fin de semana para salir con tu pareja y el bebé deberían ser lo más satisfactorias posibles para los tres, con lo que tendréis que poneros a buscar nuevos lugares que frecuentar.

El restaurante ideal

Nosotros descubrimos nuestro lugar ideal por pura casualidad. Como ya he contado, mi hija lloraba muchísimo y le costaba una barbaridad dormirse. Lo único que la relajaba era que la sacáramos a pasear o que la zarandeáramos sin descanso. Aquel día recurríamos a la opción del paseo y nuestra intención era aprovechar su siesta para poder comer juntos lo más tranquilamente posible.

El azar hizo que la niña se quedara frita justo ante la puerta de un local con dos grandes toneles de vino franqueando el acceso. Por lo visto, habían abierto un nuevo restaurante en nuestro barrio y no nos habíamos enterado. Era pronto, así que entreabrí la puerta y pregunté al chico que había detrás de la barra si sería posible que nos prepararan cualquier cosa para comer. Nos explicó que acababan de abrir dos días atrás y que ni siquiera habían tenido tiempo de colocar el cartel de restaurante. El local era fresco y luminoso, la decoración era acogedora y el que resultó ser el dueño nos acomodó con amabilidad en una mesa junto a un amplio espacio resguardado, donde pudimos dejar a la niña dormida en el carrito.

Le contamos nuestra situación y le propusimos sorprendernos con lo que él considerara más oportuno. Nos sugirió un vino tinto crianza, una ensalada de la huerta y un variado de carne de presa, especialidad de la casa. Como entrante, sacó un plato de queso curado que, en combinación con el vino, sabía a manjar de los dioses. No lo podía creer, todo estaba muy rico, mi pareja se veía relajada y la niña dormía como una bendita. Estaría dispuesto a pagar lo que fuera por hacer que aquella comida se prolongara un par de horas.

Todo fue fantástico, así que, después de tomar un postre delicioso y un café, e imagino que influido por el cansancio acumulado y algo por el vino, cuando se acercó el dueño a preguntarnos qué tal habíamos comido, no pude evitar contestarle, con los ojos enrojecidos por la emoción:

—Tío, ¡ha sido una experiencia religiosa!

Desde entonces, aquel restaurante se convirtió en nuestro lugar ideal, al que acudimos cada vez que queremos darnos un pequeño homenaje. No todo tiene que ser sufrir, ¿no?

Salir a comer con un bebé no es una tarea sencilla. Por ello te dejo unos consejos que a mí me han resultado de gran utilidad:

1. No dejes elegir el lugar de la comida a alguien que no tiene hijos.

2. Elige lugares amplios y trata de llegar a ellos con el bebé dormido.

3. Y, por nada del mundo, quedes con personas con hijos maleducados. ¡Que tú ya tienes bastante con lo tuyo!

Día de campo: ¿coche o tráiler?

A mi pareja y a mí nos encanta el campo. Éramos de esos a los que les gusta coger la tienda de campaña y la mochila con algunos bocatas y salir el viernes por la tarde a pasar el fin de semana perdidos por la montaña. De hecho, Frank de la Jungla parecía un aficionado a mi lado: era capaz de sobrevivir tres o cuatro días solo por el monte con la única compañía de una navaja, una caja de cerillas y algo de hilo de pescar. Con lo mochilero que había sido, ¡tendríais que verme ahora!

Primera salida al campo

Al nacer nuestra hija, nos propusimos no perder nuestra esencia de montañeros, así que en cuanto la niña dio sus primeros pasos, nos dispusimos a prepararlo todo para llevarla por primera vez a la montaña. Me moría de ganas por ver su cara al encontrarse en plena naturaleza.

Lo primero que hicimos fue agenciarnos una mochila de montaña para cargar con el bebé. En excursiones por los Pirineos, me había cruzado en varias ocasiones con montañeros que usaban este tipo de mochilas para llevar a sus hijos; me parecía algo fuera de serie, y tenía clarísimo que me iba a comprar una en cuanto tuviera un hijo. Por suerte, unos amigos nos prestaron una que ya no usaban y no la tuvimos que comprar. Estaba prácticamente nueva y me moría de ganas de estrenarla con la niña.

Decidimos salir a pasar el día por el desierto de Las Palmas, un paraje natural de Castellón al que se accede en tan solo 25 minutos en coche desde nuestra casa. Pensábamos dejar el vehículo en un lugar céntrico del paraje y caminar como máximo diez kilómetros (cinco de ida y cinco de vuelta). Me encargué de preparar la comida para mi pareja y para mí, y ella de preparar las cosas para la niña.

Cuando me avisó de que ya lo tenía todo listo, no me lo pude creer: el recibidor de casa estaba repleto de bolsas, maletas y mochilas. Parecía como si nos fuésemos a marchar un mes de acampada.

–Pero, tú sabes que vamos solamente a pasar el día, ¿no? –inquirí a mi pareja.

–Claro. Solo he cogido las cosas imprescindibles y algunos *porsis*.

Intentar hacer una excursión con aquella cantidad de bártulos a cuestas iba a ser imposible. Además, lógicamente, teníamos que cargar con la niña. Así que, tras soltar un largo suspiro, me dispuse a revisar todo aquello y tratar de comprimirlo en solo dos mochilas. Después de discutir largo y tendido con mi pareja, terminamos cargando cada uno con dos mochilas y dejando el resto de *porsis* en el coche. Ya lo dije yo en su día: «¡Tendría que haber comprado un tráiler, en lugar de un coche!».

Consejos para volver de un día campestre con ganas de repetir

Algunos consejos para ir con niños a la montaña y no tener que cargar con ellos a cuestas:

1. Que cada niño lleve su propia mochila. Aunque sean muy pequeños, es importante que empiecen a hacerse responsables de sus cosas. Al principio pueden cargar simplemente con su almuerzo, y, poco a poco, con el resto de sus cosas.

2. Una botella de agua por persona. El agua es una de las cosas más difíciles de racionar en la montaña. Es importante que cada niño lleve su cantimplora y aprenda a cargar y racionar su agua. Una buena estrategia para no quedarse sin agua en mitad de un recorrido es proponerse llegar al final de la ruta con un tercio del agua con la que se ha iniciado (como mínimo).

3. Ropa de abrigo. Es importante llevar una chaqueta cortavientos para las paradas. El sudor y el frío pueden ser un mal enemigo si nos quedamos un rato parados en la montaña.

4. Crema protectora. El aire de la montaña y el sol son muy dañinos para la piel de niños y mayores, por lo que es muy recomendable llevar un tubito de crema con factor de protección total.

5. El calzado. Unas botas de montaña semirrígidas y de caña media les ayudarán a sentirse seguros por las rocas y a no clavarse piedras en las plantas de los pies. Además, les protegerán los tobillos de esguinces y posibles torceduras.

6. Un bastón para caminar. Apoyarse en un bastón o en un simple palo aliviará el esfuerzo de nuestras rodillas y nos permitirá apartar zarzas y otras plantas que se interpongan en nuestro camino.

7. Comida. Mejor hacer comidas frugales durante toda la ruta que una comida larga y copiosa. Frutos secos y fruta son una buena opción durante el camino. Dejad que los niños se detengan a beber o a comer todas las veces que necesiten. Recuerda que un niño no tiene las mismas necesidades que un adulto.

8. Volver con una sonrisa. No olvides que el niño tiene que traerse de vuelta un buen recuerdo. Una experiencia traumática o el recuerdo de un agotamiento insufrible pueden hacer que en su vida quiera volver a pisar la montaña. Por ello, es importante que no deje de jugar y encontrar alicientes durante el recorrido.

Una excursión demasiado exigente

En la referida primera excursión de mi hija, al llegar al paraje, cargué con mucha ilusión a la niña en la mochila, ajusté los correajes, me puse la otra mochila en el pecho y emprendimos la marcha por un sendero que ya conocía.

Mi primera impresión fue que la mochila pesaba demasiado. Pensé que podía deberse a la falta de costumbre, pero al cabo de un rato me di cuenta de que la niña se balanceaba con cada paso que daba, lo que hacía mucho más incómoda la carga. Paré para comprobar si llevaba bien sujeta a la niña y entonces vimos que se había quedado profundamente dormida y por eso su cuerpo se balanceaba de aquella manera.

Hacía mucho calor, y el peso de las mochilas y de la niña hizo que el paseo no resultara tan agradable como habíamos imaginado. De hecho, aquella excursión fue una de las más duras de toda mi vida como montañero. El balanceo del cuerpo y el peso de la niña hicieron que se me hincharan muchísimo las rodillas y tuve que ponerme hielo durante los tres días siguientes.

La niña disfrutó, claro que disfrutó, pero igual que disfruta cuando la llevamos a comprar a la frutería. Mi pareja y yo llegamos al coche después de tres horas de excursión totalmente derrotados. Algunos días después, devolvimos muy agradecidos la mochila a nuestros amigos, pero ellos insistieron en que nos la quedáramos. Se lo agradecí de todo corazón, pero les conté lo complicado que había resultado salir a la montaña con el bebé. También les hablé del peso de la niña y de la inflamación de mis rodillas, así que, al terminar, mi amigo me dijo con tono burleta: «¡Menudo montañero de pacotilla estás tú hecho!».

Después de aquella escapada, decidimos no volver a salir al campo con la niña hasta que esta fuera un poco más mayor; por lo menos, hasta que pudiera andar ella sola y no tuviéramos que llevarla a cuestas. Así que, al cumplir cuatro años, le regalamos por su cumpleaños unas botas de montaña, una pequeña mochila y un flamante cinturón de explorador. Con ello pretendimos que fuera ella la que tuviera ganas de salir a caminar por la montaña y estrenar todo aquello sin tener que llevarla a rastras. Al principio, funcionó, pero, sin duda, lo que mejor funciona con los niños es que trates de convertir cualquier actividad en un juego, pues si consigues que se diviertan podrás subir con ellos, si te lo propones, hasta la cumbre del Kilimanjaro.

¿QUÉ HACER?

¡TILT!

Siempre me había considerado una persona fuerte y optimista. No creía en las depresiones ni en ese tipo de enfermedades, eso jamás me podía llegar a ocurrir. Sin embargo, descubrí que todos tenemos un límite. Es lo que pasaba con las antiguas máquinas de *pinball,* a las que podías estar jugando durante horas dando golpes sin parar, pero cuando te pasabas de la raya y forzabas el aparato más de la cuenta, en la pantalla frontal de la máquina aparecía el texto *Tilt* (en rojo) y se quedaban bloqueados todos los controles, haciendo que la bola se perdiera sin posible remedio.

Algo parecido nos sucede a las personas cuando sometemos nuestro organismo a más presión de la que este es capaz de soportar. Cuando nos pasamos, el cuerpo nos saca tarjeta amarilla a modo de advertencia, para que dejemos de jugar tan duro y volvamos al juego limpio. Si en un partido de rugby metes a alguien que no se sabe las reglas del juego, es normal que continuamente cometa errores y que sus compañeros de equipo tengan que estar corrigiéndole. Pero la única forma de aprender la dinámica del juego es saliendo al campo a jugar un día tras otro. Dicen que la práctica hace al maestro, lo único malo de sacar a un novato en un partido de rugby es que puede hacerse daño sin querer, y el árbitro, para evitar que siga lastimándose o acabe por hacerle daño a alguien, le termine sacando la tarjeta roja.

Opción Wonderland

Casi todos los hombres sufrimos durante nuestra etapa de padres primerizos uno o varios momentos de bajón. Me refiero a esos momentos en los que te desplomas superado por la situación o decides escapar de los problemas, como ocurre en la película británica *Wonderland* (1999), de Michael Winterbottom, donde uno de los personajes, tras sufrir un ataque de pánico, se dedica a dar vueltas por Londres montado en su moto, en lugar de acompañar a su compañera durante el parto.

Hay infinidad de motivos que nos pueden llevar a plantearnos la «opción *Wonderland*» como una salida oportuna al atolladero en que nos encontramos. Normalmente, no existe un único causante, sino que suele tratarse de la suma de muchos factores que nos llevan a dejarlo todo y caer en picado: el agotamiento físico, el trabajo, la relación con tu pareja, tu suegra…

Un entorno estresante

Yo, por supuesto, también sufrí un bajón durante mi paternidad, un bajón de los gordos, pues el nacimiento de mi hija coincidió con un momento de mi vida cargado de estrés. Por entonces, tenía muchas responsabilidades en el trabajo y muchas personas dependiendo directamente de mí. Me llamaban por teléfono a cualquier hora del día, y normalmente era para pasarme algún «marrón».

Cuando llegaba a casa, tarde y cansado, me esforzaba por mostrarles a mi hija y a mi pareja la mejor de mis caras. Esta se pasaba la mayoría del día con la niña, así que cuando yo llegaba la encontraba agotada y deseando que me hiciera cargo durante unas horas de la niña. Yo lo hacía encantado, ya que me había propuesto a mí mismo que sería un padre excepcional, pero pasé por momentos de verdadera angustia, en los que pensaba que no lo iba a poder soportar. Al final, afortunadamente, siempre encontraba fuerzas para seguir adelante.

Un viaje a Guipúzcoa

En esas, mi equipo de rugby organizó un partido amistoso contra un equipo de Irún. El plan era fantástico, pues se trataba de cuatro días de viaje con los amigotes, que incluía un partido de rugby y un montón de visitas turísticas por el municipio, acompañados por los miembros del equipo local. Sería la ocasión ideal para rebajar mi nivel de estrés. Así que, sin pensármelo demasiado, se lo comenté a mi pareja, que accedió, aunque de no muy buena gana, y propuso que durante mi ausencia se marcharía a casa de sus padres para que le echaran una mano con la niña. Todo estaba arreglado, ¡sería un viaje perfecto!

Primeros síntomas

La verdad es que no me considero una persona nerviosa, y mucho menos violenta; por ello creo que lo que sucedió aquella tarde marcó el inicio de mi bajón.

Antes de marcharme de viaje, decidí acercarme con la niña a casa de mis padres para despedirme de ellos. Al llegar, dejé durante un par de minutos el coche aparcado frente a la entrada del garaje de la finca, pues además de descargar a la niña, tenía que dejarles un par de maletas con ropa a mis padres. Creo que no tardé ni un minuto en subir y bajar de nuevo, pero para entonces ya había un señor con bigote gritando como un poseso y gesticulando desde el interior de su coche. Intenté excusarme y explicarle que mis padres vivían allí, pero el alterado señor comenzó a tocar el claxon de manera insistente, sin darme ocasión de hablar.

Entonces noté cómo una ola de calor invadía mi cuerpo de repente y un pitido en mis oídos me impedía seguir oyendo nada de lo que sucedía. El corazón se me aceleró como cuando alguien te da un gran susto y, sin pensármelo dos veces, me dispuse a agarrar del cuello al señor del bigote con la intención de sacarlo por la ventanilla del coche. En ese momento apareció mi padre, que me sujetó del brazo y me pidió que subiera al coche mientras él se disculpaba con el vecino. Me subí al coche y, como buenamente pude, fui a buscar aparcamiento. Tardé casi treinta minutos en volver a estar calmado.

La respuesta del cuerpo

Los ataques de ansiedad son respuestas del cuerpo ante situaciones de estrés o de peligro y se suelen presentar en forma de palpitaciones, sudoración, mareos y miedos un tanto irracionales. Si alguna vez te sientes presa de uno de estos ataques, trata de seguir estos consejos:

1. No te dejes llevar por tu primer impulso violento (a menos que exista una amenaza real de la que debas salir corriendo; en ese caso, ¡corre tanto como puedas!).

2. Si puedes, busca un lugar cómodo para sentarte o reclinarte.

3. Concéntrate en controlar tu respiración.

4. Si alguien te acompaña en ese momento, cuéntale lo que te pasa.

5. Repítete mentalmente que nada te va a suceder y recuerda que estas crisis no suelen durar más de cinco minutos.

6. Cuando te sientas más tranquilo, vuelve a observar tu entorno para comprobar que no hay amenazas reales a la vista; mientras, continúa respirando lenta y suavemente.

7. Cuando haya pasado todo, no vuelvas directamente a tus tareas habituales. Date un tiempo para descansar y pensar en lo que ha ocurrido.

Un ataque de ansiedad

El viaje comenzó como era de esperar, con todo el equipo de juerga y risas durante el trayecto. El partido fue un éxito, pues ganamos al equipo anfitrión por dos ensayos y una transformación. Esto hizo que nos presentáramos con muchas más ganas en el *tercer tiempo* (la fiesta posterior al partido). Todo marchaba fenomenal hasta que llegamos al lugar donde íbamos a comer y alguien, no recuerdo quién ni el motivo por el que lo dijo, me preguntó en tono de broma:

—Y tú, ¿eres padre?

Estas palabras explotaron como una bomba en mi cabeza y de repente, sin saber por qué, me puse a llorar desconsoladamente. Al principio me sentí avergonzado, así que me alejé un poco del grupo. Fue entonces cuando empecé a notar que me costaba respirar y que se me estaban durmiendo los labios y la cara. Los dedos de la mano se me quedaron pegados unos con otros, y por mucho que trataba de separarlos, no lo conseguía. Varios de mis compañeros estuvieron a mi lado todo el rato, tranquilizándome y diciéndome que no me preocupara.

—Te está dando un ataque de ansiedad —me dijo uno de ellos mientras me frotaba la espalda con la mano—. A mí me ha pasado varias veces; asusta mucho, pero se pasa.

Dicen que el ataque me duró unos diez minutos, pero a mí me parecieron una hora. Después de aquella experiencia, caí en una extraña depresión: me entraban ganas de llorar por cualquier motivo y lo peor de todo es que luego me quedaba con la horrible sensación de que aquello se podía repetir en cualquier momento.

Las palabras del doctor que me atendió marcaron un antes y un después en mi vida, y me ayudaron a enfrentarme a los problemas de una manera distinta: «El problema no es tu entorno, los problemas y las obligaciones van a seguir estando ahí durante toda tu vida, eso no lo vamos a poder cambiar. Lo que sí podemos arreglar es la manera en que estos problemas te afectan. Le has estado exigiendo demasiado a tu cuerpo, y como él ha visto que no hacías nada por ayudarte, ha decidido enviarte una señal. Esta señal te está pidiendo que pares, que te relajes y que no te preocupes tanto por las cosas. Tienes que lograr que los problemas no te afecten de esta manera, tienes que aprender a ser un poco más pasota...». «¿Ser más pasota? —pensé—. ¡Me gusta!».

El arte del escaqueo: ¡montón de trabajo!

Después de mi gran bajón, traté de seguir a rajatabla las instrucciones de mi médico. Convertirse en un pasota de la noche a la mañana no es un trabajo sencillo, sobre todo si eres de ese tipo de personas responsables hasta la médula. Por ello, empecé a desarrollar mis habilidades en el arte del escaqueo «por prescripción médica».

En el trabajo

Debido a que pasaba más horas en el trabajo de las que realmente tenía que hacer por contrato, lo primero que hice fue empezar a cumplir mi jornada laboral con disciplina militar. Decidí empezar la jornada a la hora de entrada exacta y tenerlo todo listo para salir pitando nada más el reloj marcara las seis de la tarde. No iba a ceder ni un minuto más de mi tiempo a la empresa, de manera que traté de aplicar algunos métodos para mejorar mi productividad y evitar los tiempos muertos que tenía durante el día.

A continuación te dejo algunos consejos para que puedas salir del trabajo a la hora:

1. Hazte la víctima. Todo el mundo en el trabajo debe ser consciente de tu situación como padre responsable. Por ello, debes aprovechar cualquier ocasión para poner como excusa que el motivo de que no puedas quedarte más horas a trabajar es que tienes que cuidar de tu bebé.

2. Aprende a decir no. Al principio cuesta, pero cuando dices que no puedes o que no tienes tiempo para hacer algo, la gente no solo valora más tu trabajo sino que, además, se lo piensa dos veces antes de volver a pedirte algo.

3. Aprende a delegar. Nadie es indispensable en esta vida. Seguro que hay tareas que pueden hacer perfectamente otras personas, y quizás te sorprenda lo bien que las pueden llegar a hacer.

4. Organízate con eficacia. Empieza por las tareas más rápidas de resolver: llamadas, correos electrónicos, etc., y nunca dejes tareas importantes ni reuniones para el final de la jornada.

5. No pierdas el tiempo. Calcula el tiempo que pasas navegando en las redes sociales, leyendo la prensa o mirando las musarañas. Dedícales un tiempo concreto justo al final de la jornada. Así, si te quedas a hacer horas extra será porque tú quieres.

La regla de los cinco segundos

Mi mujer se pasaba todo el día con el bebé, y la verdad es que me parecía injusto aplicar mis estrategias de pasota con ella. Lo que hice fue aplicarlas sin que ella se diera cuenta de que lo estaba haciendo.

Lo primero que hice fue rebajar el nivel de obsesión por la higiene del bebé. No me malinterpretéis: en ningún momento dejé que mi hija fuera hecha un despojo. Lo que hice fue no tomarme tan en serio el tema de la desinfección absoluta en su entorno y empecé a utilizar la regla no escrita de «los cinco segundos».

Esta regla dice que algo que no ha tocado el suelo durante más de cinco segundos puede volver directamente a la boca del bebé sin tener que pasar por ningún proceso de desinfección. Con esta sencilla regla, que no tiene ningún fundamento científico, comencé a rebajar mi estrés cuando estaba con mi hija. Antes me pasaba el tiempo esterilizando chupetes, biberones y otros juguetes. Desde entonces, un poquito de agua y a correr.

Aprovéchate de tu suegra

Al principio, tener a mi suegra en casa me suponía un suplicio. ¿Por qué se tenía que meter continuamente en nuestras vidas? Me negaba a cederle mis momentos íntimos entre padre e hija: la hora del baño, el cambio de pañales, su hora de la cena. Hubo ocasiones en las que mi suegra se metía conmigo en el baño para ver cómo bañaba a la niña. ¡No lo podía aguantar!

El nacimiento de la primera hija de mi hermano me iluminó respecto a este tema. Yo me moría de ganas de ser tío, y estaba realmente emocionado con el nacimiento de mi sobrina, así que cuando fuimos a visitarlos al hospital pedí que me la dejaran tener durante un buen rato en brazos. Me encantó la sensación de abrazar a la hija de mi hermano, pero sin duda lo que más me gustó fue devolvérsela una vez se hizo caca. ¡Qué sensación!

Y entonces me di cuenta de que a mi suegra y a mi madre, en cambio, no les importaba en absoluto encargarse de aquellas delicadas situaciones. ¿Por qué no aprovecharlas? Yo necesitaba descansar y disfrutar al máximo el tiempo que pasaba con mi hija. Así que, desde entonces, cada vez que venían mi madre o mi suegra les endosaba cariñosamente a la niña y me encerraba en la habitación a dormir una siesta.

¿Lo estás haciendo mal adrede?

Está claro que, si te pones, eres capaz de conseguir cualquier cosa, y seguro que igual o incluso mejor que tu pareja. Yo descubrí que ella me utilizaba con todos los temas que suponían sufrimiento para el bebé: las inyecciones, las limpiezas nasales, las heridas… Siempre que tocaba llevar a cabo una de estas tareas su frase era:

—Cari, hazlo tú, que lo haces mejor.

Y claro, yo, henchido de orgullo, era incapaz de negarme. Pasa lo mismo a la hora de montar un mueble o bajar a tirar la basura. Es como si tú fueras el único de la casa que sabe hacerlo.

Por eso, decidí introducir una variante en mi estrategia, que consistía en parecer un poco más tonto de lo que ya era ante ciertas tareas. Por ejemplo: está claro que a base de esfuerzo y organización, hubiera sido capaz de vestir y peinar correctamente a la niña, pero este trabajo a mí me suponía un esfuerzo mental tres veces superior al que debía realizar ella, empezando por combinar los colores y terminando por elegir los complementos. Si para ella resultaba tan sencillo, ¿por qué no dejar definitivamente que se encargara ella de esta tarea? Para conseguir mi objetivo estratégico, bastó con vestir en dos ocasiones a la niña como si de una niña de la posguerra se tratara y sacarla a pasear. ¡Misión cumplida, soldado!

La niña como excusa

Puestos a convertirme en un pasota, decidí ir un paso más allá, y empecé a utilizar a la niña como excusa para dejar de asistir a compromisos a los que no me apetecía nada acudir:

—¿Os venís mañana a comer a casa de la tía Enriqueta? Quiere invitarnos a toda la familia y enseñarnos las fotos de su viaje a Cádiz con el Imserso…

—¡Uf! La verdad es que me encantaría, pero tenemos a la niña un poco pachucha y es mejor que no la saquemos de casa con el frío que está haciendo.

Este sistema me funcionó a las mil maravillas durante una temporada, pero dejé de utilizarlo cuando, no sé si por casualidad o por castigo divino, tal y como puse la excusa para no asistir a una comida de antiguos compañeros de trabajo, la niña se nos puso esa misma noche con cuarenta de fiebre… ¡Menudo *yuyu*!

> No eres el centro del universo. De hecho, si de repente desaparecieras, la tierra seguiría girando y el resto de la humanidad continuaría su camino adelante sin ti. No eres tan imprescindible como muchas veces piensas y tus defectos y debilidades, aunque no te lo creas, forman parte de tu encanto personal. Así que baja el ritmo de la locomotora y empieza a delegar en los demás, pues escaquearse es todo un arte, y en estos momentos de tu vida puede llegar a suponer tu mejor salvavidas.

Más arte: sacar a pasear al perro

Recuerdo el consejo que me dio un amigo cuando le anuncié que íbamos a tener una hija. «Cómprate un perro», me dijo. Al principio, me pareció un consejo disparatado y fuera de lugar, pero al escuchar su explicación empecé a entenderlo: «Cuando nazca la niña, pasarás a ocupar un segundo o un tercer puesto en la escala de importancia para tu pareja y, probablemente, te tocará desempeñar tareas que no serán en absoluto de tu agrado. Por ello, te recomiendo que te compres un perro. De esta manera, cuando veas que la cosa se complica y tengas ganas de escapar, podrás decir: "¡Me voy a pasear al perro!". Así podrás salir de casa y desaparecer hasta que lo peor haya pasado. Incluso puedes no comprar el perro y decir que vas a pasearlo, pues cuando nazca tu hija tu pareja estará tan poco pendiente de ti que, para cuando se dé cuenta de que no tenéis perro, la niña tendrá ya tres o cuatro años…».

Por mucho que me esforzaba en convertirme en una persona más pasota, mis niveles de estrés y ansiedad seguían por las nubes. Me estaba convirtiendo en una persona huraña, evitaba todo lo posible el contacto con los demás y cada vez que oía el llanto del bebé en medio de la noche, mi espalda se arqueaba como si estuviera recibiendo una descarga eléctrica en plena columna vertebral.

Nunca llegué a aplicar el consejo de mi amigo, es decir, no saqué a pasear al perro invisible —creo que mi pareja no me lo habría perdonado—, pero sí puse en práctica otro tipo de técnicas menos arriesgadas. Para ello, recurrí a ese tipo de cosas que solemos hacer tan bien los hombres: llevar el coche al taller, bajar la basura, ir a hacer la compra… Cualquier excusa era buena para huir de la rutina que me estaba consumiendo por minutos.

La compra eterna

Cuando salía a la hora de trabajar y veía que estaba a punto de llegar a casa, llamaba a mi pareja y le pedía que me pasara la lista de la compra de nuestra pizarra. Le decía que necesitaba mirar alguna cosa y que, de paso, haría la compra de la semana. Independientemente de lo larga que fuera la lista, me encargaba de eternizar la compra al máximo. Me convertía en un muerto viviente arrastrando el carro de la compra por el hipermercado, pues no seguía ningún rumbo fijo. Solía detenerme durante un buen rato en las secciones de libros y de música para hacer tiempo. Entonces, normalmente me llamaba mi pareja preocupada:

—¿Estás bien? ¿Te ha pasado algo?

—Sí, cariño, estoy bien. No te imaginas la cola que hay hoy en la carnicería…

Víctima de la procrastinación

Aquella mañana me levanté y me arreglé rápido porque me había propuesto encargarme yo de la niña. En consecuencia, llegué temprano al trabajo con el objeto de terminar también pronto. Ya en el trabajo, derramé el café sobre el escritorio y me puse a limpiarlo con una bayeta. Me tomé algunos minutos más para limpiar el resto de la mesa, pues pensé que con mi espacio de trabajo limpio y ordenado sería más productivo y podría acabar antes. Al acabar la limpieza, me di cuenta de que no había comido nada durante la mañana, y me fui a la cafetería a tomar un sándwich, ya que si no recuperaba fuerzas iba a ser incapaz de encargarme de la niña. Al pasar frente a la papelería, recordé que se me habían terminado las grapas, así que aproveché para comprar una etiquetadora, pues pensé que siendo más organizado en el trabajo podría terminar antes... para poder encargarme de la niña.

Cuando volví al despacho, decidí que debía establecer un sistema para organizar los documentos y el material de escritorio antes de empezar a colocar etiquetas. Pensé que seguro que existía un programa informático para hacer este tipo de trabajos, así que me puse a buscar en Internet información sobre sistemas para mejorar la productividad personal. Encontré un *e-book* fantástico que, por 8,95 €, explicaba cómo establecer un sistema para organizar tu tiempo de manera productiva... Entonces sonó el teléfono. Era mi pareja, que llamaba preocupada:

—¿Estás bien? Son las 9:30 de la noche. ¿No ibas a encargarte hoy de la niña?

¿Qué es la procrastinación?

¿**H**as retrasado una cita con el dentista o has pospuesto para mañana el propósito de salir a correr todos los días? ¿Te sucede que nunca encuentras el momento de ordenar determinados papeles o arreglar ese grifo que gotea? Si has respondido afirmativamente, puedes estar tranquilo, pues no eres el único. Aplazar los asuntos pendientes, o dejar para mañana lo que podrías hacer hoy, es una costumbre muy humana conocida como *procrastinación*. Esta costumbre tan común es la culpable de gran cantidad de retrasos que generan pérdidas de productividad en empresas y administraciones públicas, pero también tiene un efecto nocivo sobre la salud mental de las personas que la practican, pues rebaja su autoestima de manera notable al no llegar nunca a la conclusión de sus tareas.

Aparcado bajo la lluvia

La necesidad de quitarme de en medio me convirtió en un auténtico mentiroso compulsivo. Cuando llegaban las cinco de la tarde, me colocaba unos auriculares, ponía música con el ordenador y abría una hoja de cálculo o un documento de texto. Cuando alguien pasaba cerca de mí hacía como si estuviese analizando las cifras del documento con atención, incluso resolvía algunas operaciones con la calculadora. Cuando me volvía a quedar solo, simplemente trataba de dejar la mente en blanco, miraba fijamente la pantalla y me limitaba a escuchar la música.

En ocasiones, llamaba por teléfono a mi pareja y le decía que estaba en una reunión y que tardaría en llegar. En esos momentos, la oficina se quedaba vacía y aprovechaba para navegar por Internet o escribir en mi blog, siendo totalmente consciente de que un sentimiento de infelicidad constante me oprimía con fuerza el pecho.

Un día de lluvia, estuve atendiendo por teléfono la reclamación de un cliente insatisfecho con uno de los pedidos que le había servido nuestra empresa durante la semana. Por mucho que intentaba calmarlo y trataba de solucionar su problema, el señor cada vez gritaba más y me faltaba más al respeto. Volví a notar que se me aceleraban las pulsaciones y, sin esperar a ver qué pasaba luego, le colgué el teléfono y, nervioso, fui a buscar mi coche: necesitaba escapar. Me alejé varios kilómetros del trabajo y me detuve bajo la lluvia en un paraje que conocía junto al borde de un río. Cerré los ojos y esperé a que mi corazón volviera a latir con normalidad. Entonces me di cuenta de que no lo estaba haciendo bien: escaquearme de los problemas no era en ningún caso la solución; tenía que hacerme con el control de la misma cuanto antes, no podía continuar así. Volví a cerrar los ojos y me quedé dormido escuchando el repiqueteo de la lluvia sobre el capó del coche.

BOLA EXTRA

Dicen que no hay nada mejor para volver a levantarse con fuerza que tocar fondo, y que no somos capaces de ver lo bien que en realidad estamos hasta que pasamos por una mala racha. Sería fabuloso no tener que aprender siempre a base de tortazos, pero parece que es la mejor forma de aprender. Las ojeras y las «cicatrices de guerra» aportan experiencia a la mirada y hacen que, poco a poco, vayamos perdiendo la cara de padres primerizos con la que empezamos nuestra aventura.

En la mayoría de los casos, la vida ofrece una «bola extra», una segunda oportunidad para empezar de nuevo haciendo las cosas de otra manera.

Aprender a respirar, a relajarnos y a disfrutar del presente va a ser fundamental para seguir adelante y poder satisfacer las necesidades del bebé. Por ello, deja ya de tratar de ser el padre perfecto que aparece en las revistas de bebés: ese tipo de padres impolutos no existe. Los mejores padres también se equivocan, los padres más autosuficientes en ocasiones necesitan pedir ayuda y los padres más pacientes del mundo a veces necesitan soltar un taco y gritar a los cuatro vientos: «¿Y qué pasa con mis necesidades? ¿Alguien se ha parado a pensar qué es lo que necesita papá?».

¡Efectivamente! Parece que papá necesita un trago...

Pies y cabeza

Ninguna de las estrategias que estaba llevando a cabo parecía estar funcionando. Mi vida comenzaba a perder el norte y me pasaba el día huyendo de los problemas como un niño asustado. Tenía que hacer algo, pero me sentía tan deprimido que era incapaz de encontrar una solución por mí mismo, así que mi pareja habló a mis padres sobre mi estado de ánimo y ellos nos dijeron que conocían a un médico que me podía ayudar. Se trataba de un reconocido doctor de Valencia especializado en reflexología podal, técnica terapéutica que consiste en tratar ciertas enfermedades, o por lo menos sus síntomas, por medio de masajes en los pies, estimulando unos puntos concretos. Yo era muy escéptico con este tipo de terapias; de hecho, me parecía totalmente imposible que mi estado fuera a mejorar gracias a un masaje en los pies. Así que mis pobres padres tuvieron que llevarme casi a rastras hasta la consulta.

Masaje en los pies

Al entrar en la consulta, el doctor me saludó efusivamente y, con una amable sonrisa, me pidió que le contara lo que me pasaba. La verdad es que me sentí totalmente ridículo y me entraron ganas de llorar de nuevo mientras se lo contaba. Cuando terminé de hablar, me explicó algo parecido a lo que ya me había dicho mi médico, pero concluyó del siguiente modo:

—Vamos a hacerte un poco más pasota. Vamos a tratarte para que los problemas dejen de afectar a tu sistema nervioso. ¿Qué te parece?

Cuando uno está deprimido, todo le da igual, y en aquel momento yo solo quería que acabara aquella farsa para volver a casa y meterme de nuevo en la cama tapado hasta la cabeza. Así que asentí, tratando de esbozar una sonrisa lo menos forzada posible, me recliné en la camilla y entorné los ojos. Pensé en aprovechar para dormir un poco, pero en cuanto el doctor empezó el masaje, se me hizo imposible, ya que cada vez que me presionaba la parte superior de los dedos, notaba como si me pincharan con alfileres; solo hacia el final del masaje, resultó ser efectivamente agradable.

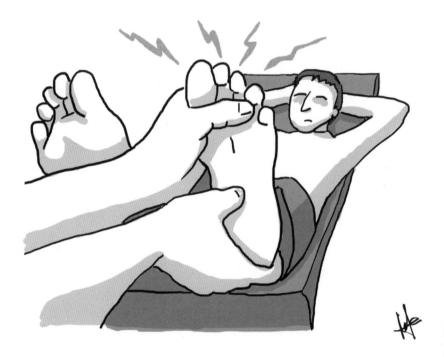

Al terminar, mientras me ponía de nuevo los calcetines y los zapatos, mis padres me preguntaron cómo me encontraba. Me supo un poco mal responderles en voz alta, pero lo hice:

—Igual, la verdad es que me encuentro exactamente igual —les dije en voz baja.

El doctor pudo oír lo que dije, pues les comentó a mis padres que en la primera sesión era difícil notar algún alivio, sobre todo si había dejado pasar varias semanas desde el incidente. Mis padres, un poco decepcionados, me llevaron en su coche a casa.

¿Qué es la reflexología podal?

La reflexología podal es una técnica terapéutica basada en la estimulación de puntos sobre los pies, denominados zonas de reflejo. Supone la aplicación de un masaje manual que ejerce presión en áreas reflejas de los pies para producir efectos específicos en otras partes del cuerpo. Es una técnica milenaria con orígenes en la antigua China, Egipto y los indios de Norteamérica. Se han encontrado papiros egipcios de alrededor del año 2000 a. C. en los que se muestra la aplicación de masajes en las plantas de los pies y las manos. Los egipcios descubrieron que hay partes y órganos del cuerpo que tienen un punto reflejo en la planta de los pies y, en consecuencia, al estimular cada uno de estos puntos se produce una sensación de alivio. La reflexología aplicada en los pies puede ayudar tanto a prevenir diferentes síntomas y dolencias como para conseguir o recuperar el equilibrio físico y mental. Algunos beneficios generales que procura son: relajación general, alivio del estrés, activación de la circulación sanguínea, relajación de contracturas, mejora de la calidad del sueño, activación del sistema inmunológico y favorecimiento de mecanismos de depuración y eliminación de toxinas.

Una pesadilla

Al llegar a casa, cumplí con mis tareas como padre y en cuanto la niña se quedó dormida me metí también en la cama. Seguía sin querer saber nada del resto del mundo. A las dos y cuarto de la mañana, como solía ser costumbre, la niña se puso a llorar, pero sentí algo distinto que me llamó mucho la atención. Durante las dos semanas anteriores, cada vez que la niña me despertaba con sus llantos sentía como si una corriente eléctrica me atravesara la columna vertebral de arriba abajo, que hacía que se me arqueara la espalda. Pero esa noche no sucedió lo mismo. Oía el llanto de la niña, pero lo oía simplemente como lo que era: mi querida hija llorando. Noté que mi cuerpo estaba relajado y sereno, fue una sensación maravillosa. Preparé un biberón y me senté a dárselo a la niña a los pies de nuestra cama.

A la mañana siguiente, la sensación fue mucho más increíble, pues me desperté animado y feliz. En mi cabeza no quedaba un atisbo de depresión o de ansiedad. Tenía la sensación de haber tenido una pesadilla de la que acababa de despertar. No me lo podía creer: ¿había funcionado el masaje en los pies? Se lo conté a mi pareja, que me abrazó con alegría, y telefoneé a mis padres, sin tener en cuenta que todavía eran las 7:30 de la mañana.

La depresión posparto en los hombres

La depresión posparto siempre se ha asociado con las mujeres, pero también es una cuestión de hombres. Diversos estudios afirman que la sufre uno de cada diez padres, y algunos estudios sostienen que afecta a uno de cada cuatro.

Los principales factores que nos pueden llevar a sufrir este tipo de depresión son: la situación de la pareja, que puede resentirse mucho tras la llegada del bebé, la presión ante las nuevas responsabilidades, las inseguridades económicas y la interrupción de las rutinas, tanto de ocio como de sueño y descanso. Allá van algunos consejos para afrontarla:

1. Debes ser consciente de que **este problema existe tanto en hombres como en mujeres,** y no debes tener vergüenza de reconocerlo. Dicen que si tu pareja sufrió depresión durante el embarazo o en la primera parte del posparto, tú puedes estar en mayor riesgo de sufrirla.

2. Habla con tu pareja de todo lo que sientes y te sucede. Sin duda, va a ser tu mayor apoyo.

3. Observa cualquier **cambio en tu conducta:** agresividad, discusiones, consumo de alcohol o drogas, etc. Puede ser consecuencia de la depresión posparto.

4. Reparte el cuidado del bebé con tu pareja y destinad un tiempo para cuidaros vosotros mismos y vuestra relación. Recordad que si vosotros no estáis bien, no podréis atender correctamente a vuestro bebé.

En deuda

Mi agradecimiento a aquel doctor no tenía límites; por eso, aunque después de una sola sesión ya me encontraba bien, seguí asistiendo a la consulta las seis siguientes sesiones más que me había recomendado. Como ya he dicho, yo era escéptico ante ese tipo de terapias y no tenía ninguna fe en sus resultados, pero visto el efecto que tuvo en mí, no he dudado en recomendarla a amigos y familiares que se han encontrado en situaciones parecidas. Aunque, si no se siente mejoría tras una o dos sesiones, se puede tratar de un cuadro de depresión grave, y entonces también es recomendable asistir a la consulta de un psicólogo profesional.

Sabiduría oriental: los 10 segundos

Salir adelante de un estado de depresión de aquella manera tan rápida fue como si de repente me hubiera tocado la «bola extra» en una partida de *pinball*. Me sentía como si la vida me estuviese ofreciendo una segunda oportunidad para hacer mejor las cosas y tomármelas con más calma. No quise desperdiciar esta segunda oportunidad, así que no tardé ni un segundo en poner en marcha un plan para retomar las riendas de mi vida.

¿Qué te gustaría hacer?

Lo primero que hice fue apuntar en un papel todas las cosas que me hacían sentir frustrado por no poderlas estar llevando a cabo durante la paternidad. Para ello dibujé una especie de mapa mental en el que comencé escribiendo «yo» en el centro de la hoja, rodeado por un círculo. Alrededor de ese círculo escribí, también rodeadas con círculos, todas las cosas que me gustaría poder hacer y no hacía: jugar al rugby, dibujar más, salir con mi pareja a solas, salir a la montaña, salir con mis amigos, pintar, leer, dormir, pasar más tiempo con mi hija, aprender a tocar la guitarra, practicar inglés y, por qué no decirlo, tener sexo, ¡y a poder ser con mi pareja!

Una vez escritas todas las cosas que echaba en falta en mi vida, me di cuenta de lo poco que necesitaba para sentirme realmente feliz. Por lo visto, soy una persona más bien realista, pues no puse cosas muy difíciles, por no decir imposibles, de conseguir. Uní por medio de líneas todas aquellas cosas con la palabra «yo» y entonces me dispuse a desarrollar cada una de aquellas actividades individualmente.

La idea consistía en tratar de encontrar un hueco en mis rutinas semanales para poderlas llevar a cabo y así no poder decir que era la ausencia de ellas lo que me causaba frustración. Descubrí que una de las maneras para conseguir llevar a cabo algunas de ellas consistía en combinarlas con la de «pasar más tiempo con mi hija».

Aprender a tocar la guitarra

Por lo visto, el día que repartieron el sentido del ritmo yo estaba en la cama enfermo o algo así, porque por mucho que lo intentara, me resultaba imposible seguir un ritmo con la guitarra. Lo perdía tan fácilmente que en clase de música el profesor me decía que yo solo podía hacer una cosa a la vez, o dar palmas o cantar, pues si intentaba hacer las dos a un tiempo, hacía perder el ritmo al resto de la clase.

Así que, para comenzar a llevar a cabo los deseos de mi mapa mental, me puse a darle vueltas a la cabeza: ¿de qué manera podía integrar el aprendizaje de un instrumento en mi rutina cotidiana? La solución fue más sencilla de lo que imaginaba: me descargué algunos tutoriales de guitarra española de Internet y me dediqué a practicar con rasgueos muy suaves junto a la cuna de la niña cuando llegaba su hora de dormir. Además, me bajé de Internet algunas tablaturas de canciones de cuna sencillas que le cantaba en voz baja a la vez que tocaba la guitarra. No puede decirse que me haya convertido en un «Paco de Lucía», pero sí he podido tachar esta acción de mi lista de cosas pendientes.

Desconectar

Otra de mis tareas pendientes era la de «dibujar más». Siempre me ha relajado mucho dibujar, y me pasa igual que con el rugby: que al tener que dedicarle plena atención mientras lo hago, dejo de pensar por completo en otros temas y tengo la sensación de que mi cabeza se relaja.

Dicen que practicando deportes o actividades que estimulen la creatividad, como el dibujo o la música, se pueden alcanzar estados casi comparables a los que se puede llegar a través de la meditación. Según la sabiduría oriental, la mejor manera de alcanzar la felicidad y la plenitud personal es a través de la meditación, que, en pocas palabras, consiste en vaciar la mente de todo pensamiento.

En una ocasión discutí seriamente con mi pareja antes de un entrenamiento de rugby. Nuestro enfado fue monstruoso y pensé que tardaríamos semanas en reconciliarnos después de aquello. Al salir del entrenamiento y volver a casa por la noche, me encontré a mi pareja todavía enfadada; yo, en cambio, había olvidado por completo la discusión. La concentración durante el entrenamiento había relegado el enfado a otra parte menos importante de mi cerebro y aunque, al recordarlo, traté de volver a enfadarme y sentir lo que me había enfurecido aquella tarde, fue totalmente imposible. ¿Para qué narices necesitaba aquel enfado?

Tomé la decisión de dibujar un par de veces a la semana con mi hija. Ponía un mantel de plástico en la mesa de la cocina, le ponía un babero enorme a la niña y sacaba témperas, pinceles, lápices y rotuladores. Le ponía un montoncito de folios delante y yo me sentaba a dibujar a su lado. No le decía lo que tenía que hacer, simplemente le dejaba hacer. Esto se convirtió, sin duda, en uno de mis momentos favoritos de la semana.

La regla de los 10 segundos

Yo estaba cambiando mi forma de afrontar los problemas, pero mi entorno, por mucho que yo cambiara, seguía siendo hostil y en ocasiones estresante. Por ello, en ciertas situaciones volvía a tener la sensación de que se iba a repetir el horrible ataque de ansiedad que tanto me había asustado. Entonces, me bastaba con utilizar la regla de los 10 segundos para volver a calmarme y encontrar el equilibrio.

Diez segundos es, aproximadamente, el tiempo que tarda la información en pasar desde nuestro cerebro emocional, el más primitivo, a la corteza cerebral, el racional. Este tiempo marca la diferencia entre actuar impulsivamente o de forma más meditada. Contar hasta diez antes de responder a algo que consideramos una gran afrenta o amenaza es un útil consejo que en muchas ocasiones conviene seguir.

Está claro que, en caso de encontrarnos con una serpiente en nuestro camino, lo más adecuado sería dar un salto y salir pitando sin pensárnoslo dos veces. Por lo general, no solemos encontrarnos con muchas serpientes en nuestro día a día. En cambio, sí que nos encontramos con otras amenazas de tipo psicológico, que activan en nuestro cerebro una respuesta de lucha o de huida, igual que si de una amenaza física se tratara. Por ejemplo, la valoración de nuestro trabajo por parte de nuestro jefe o, en el ámbito familiar, la respuesta a una crítica por parte de nuestra suegra. En estas ocasiones sí que es preferible contar hasta diez y dar tiempo a la corteza cerebral para que elabore una respuesta más meditada, pues si dejamos actuar a nuestro cerebro emocional, diremos o haremos algo de lo que probablemente nos arrepentiremos.

Uno tras otro, fui tratando de incluir todos los objetivos de mi mapa mental en mis rutinas diarias, y, con gran sorpresa, descubrí que algunos de ellos no me hicieron tan feliz ni me hacían tanta falta como me había imaginado, pues cuando llegaba el momento de llevarlos a cabo no me resultaban tan estimulantes. Por supuesto, con esto no me refiero al sexo o a dormir, que por más que los subrayé con colores fosforescentes en el papel, aún tardaron varios meses en hacerse realidad.

Más sabiduría: relaxing

Tener un bebé es una experiencia maravillosa pero también, sin lugar a dudas, agotadora. Los niños no son conscientes de la exigencia en tiempo y cuidados que nos suponen cada día; por ello, no podemos culparlos de nuestra situación, tenemos que aprender a relajarnos y a buscar un momento para encontrarnos a nosotros mismos y tratar de no transmitirles nuestros nervios ni nuestro malestar.

Aunque no seamos conscientes de ello, a los niños les afecta muchísimo nuestro estado de ánimo. Si estamos nerviosos, seguramente seremos incapaces de tranquilizar a nuestros hijos para que se relajen y concilien el sueño.

Si nos mostramos inseguros, transmitiremos a nuestros hijos nuestra inseguridad, y si volvemos a casa irritados por nuestra situación en el trabajo, probablemente lo pagaremos con nuestra familia.

Aprende a relajarte

Existen múltiples técnicas para relajarse y a cada persona le funciona una distinta. Por eso, no podemos ofrecer más que algunos consejos generales, que cada uno deberá adaptar a su situación personal.

Sé benévolo contigo mismo. Deja de exigirte continuamente y asume que a veces te puedes equivocar.

Respira. Tómate tu tiempo antes de reaccionar de manera irracional. Recuerda la regla de los 10 segundos.

No dejes de hacer lo que te hace feliz. Los hijos no son el fin de tu vida. Busca momentos, de vez en cuando, para poder llevar a cabo las tareas que realmente te apasionan.

Delega. Reconoce que no puedes con todo y no sientas vergüenza de pedir ayuda. Recuerda que tu suegra puede ser tu mejor aliada.

Organiza tu tiempo libre. Prepara actividades divertidas que puedas realizar junto al bebé y tu pareja. No hay nada peor que la apatía para minar la relación familiar.

Haz ejercicio moderadamente. El ejercicio libera las endorfinas que crean un sentimiento de felicidad. Trata de realizar un poco de ejercicio todos los días para ayudar a relajar la mente.

Toma bebidas calientes. Las bebidas calientes ayudan a liberar la tensión y reducen el estrés. Busca bebidas que no contengan cafeína ni alcohol, ya que estos pueden estimular la ansiedad y la depresión.

Desconecta. Cuando estés con tu bebé, aléjate de cualquier cosa que te pueda producir estrés: la televisión, las redes sociales, el teléfono móvil... Aprende a disfrutar del presente.

Vacía tu mente. Acostúmbrate a apuntar las tareas pendientes utilizando algún sistema que te avise de llevarlas a cabo en su momento. De esta manera despejarás tu mente y podrás disfrutar plenamente del presente. Recordar continuamente que tenemos que hacer tres cosas nos puede llevar a creer que tenemos un día horroroso.

La vida es bella si uno quiere

Siempre he pensado que la vida es del color con el que tú la quieras pintar, y en tus manos está hacer que cada día sea un gran día. Cuando crecemos, parece que se nos olvida todo lo que nos gustaba jugar, reírnos o cantar cuando éramos niños.

Tener hijos puede ser la excusa perfecta para retomar todo aquello que nos hacía tan felices y que la edad nos ha hecho olvidar. Tenemos la oportunidad de volver a imaginar historias increíbles, jugar por el simple hecho de hacerlo y cantar y bailar sin ningún motivo. Tener un hijo es la excusa perfecta para volver a bucear y lanzarte al estilo bomba en la piscina; podrás volver a comprar palomitas en el cine y nadie te mirará raro cuando vayas al kiosco a comprar chuches.

Cada día puede ser un buen día para celebrar algo y cada momento puede ser especial. Un *picnic* en la alfombra del salón puede transformarse en una acampada bajo las estrellas y una visita al supermercado se puede convertir en un *rally* por el desierto.

Vas a tener que aprender de nuevo a jugar con juguetes, a fabricar disfraces y a contar historias para dormir, así que haz el favor de dejar el estrés y los problemas en la calle antes de cruzar el umbral de casa, porque, ante todo, te ha llegado el momento de ocupar el puesto que te corresponde y empezar a ser de una vez por todas un buen padre, ¡un padre que *te cagas*!

Se presenta ante ti la oportunidad de volver a ser niño por unos años, y si eres capaz de aprovecharla, quizás aprendas a seguir siéndolo durante el resto de tu vida. ¿Vas a desaprovechar esta gran oportunidad?

> *Hay cosas malas en la vida*
> *que pueden volverte loco,*
> *otras que te hacen jurar y maldecir.*
> *Cuando tu vida parezca estar en ruinas,*
> *¡no te quejes!, solo silba,*
> *y eso ayudará a que las cosas mejoren...*
>
> *Mira siempre el lado brillante de la vida,*
> *mira siempre el lado positivo de la vida.*
>
> *Si la vida parece una bonita mierda*
> *es que has olvidado algo:*
> *reír, sonreír, bailar y cantar.*
> *Cuando te sientas deprimido,*
> *no seas estúpido,*
> *solo junta tus labios y silba:*
>
> *Mira siempre el lado brillante de la vida,*
> *mira siempre el lado positivo de la vida.*

«Always Look on the Bright Side of Life», de Eric Idle (canción aparecida originalmente en la película *La vida de Brian*, del grupo humorístico inglés Monty Python).

EPÍLOGO:
ESA PEQUEÑA COSA LLAMADA AMOR

Seguro que, llegados a este punto, se os habrá quedado una pregunta sin resolver en la cabeza. Vale, todo lo que has contado está muy bien, pero… ¿cuándo voy a dejar de ser primerizo? ¿Va a durar esta especie de enfermedad el resto de mis días? ¿Voy a seguir viviendo toda mi vida con esta cara de pánfilo?

Tengo dos noticias para ti, una es buena y la otra mala. La buena es que el hecho de ser primerizo tiene cura; la mala es que la única manera de dejar de serlo es teniendo otro hijo. Lo siento, no lo he inventado yo. Cuando tengas dos o más hijos ya nadie te etiquetará, pues serás padre y punto. Bueno, como mucho pueden llegar a llamarte «padre de familia numerosa», pero eso ya no tiene ninguna acepción negativa.

Ser padre primerizo es como pasar por las novatadas de la universidad y del servicio militar a la vez. Lo bueno es que, una vez las superas, asciendes directamente al rango de capitán general. Verás cómo con el segundo hijo todo es distinto. Está claro que cada niño es un mundo totalmente diferente, y puede suceder que el segundo duerma peor que el primero o que sea más revoltoso. Nadie está hablando de que tener otro hijo sea un paseo en barca. La diferencia fundamental estará en vosotros: ya no seréis los mismos, habréis madurado y os habréis convertido en unos auténticos padres experimentados.

Recuerdo lo que sentí la primera vez que me enamoré locamente de una chica: un hormigueo continuo en el estómago, mi cabeza sin dejar de pensar en ella ni un segundo y ganas de suspirar continuamente... Había descubierto lo que era el amor, y me parecía la sensación más intensa del mundo. La palabra *amor* tenía en mi cabeza un significado relacionado con aquella situación que estaba viviendo y creía a pies juntillas que era la definición correcta.

La noche que nació mi hija, sin embargo, descubrí que existía un amor mucho más verdadero, un amor mucho más auténtico y sincero, por el que eres capaz de darlo todo sin recibir nada a cambio y que no entiende de celos ni rupturas. Así que, cuando decidimos tener nuestro segundo hijo, se me pasó por la cabeza pensar que sería incapaz de quererlo de la misma manera que a la primogénita. ¿Cómo iba a repartir aquel amor entre dos? Pero, cuando nació el segundo y dejé de una vez por todas de ser padre primerizo, comprobé con sorpresa y alivio que el amor de un padre por sus hijos no se divide, sino que se multiplica.

Hoy, si de algo puedo estar absolutamente seguro es de que no he vivido una sensación tan intensa a todos los niveles de mi vida hasta ser padre, y cada vez que mis hijos me preguntan:

—Papá, ¿me quieres?

Yo les respondo con total sinceridad:

—Hasta el infinito y volver.

PARA SABER MÁS

Libros
- Blanco, Frank: *Cómo ser padre primerizo y no morir en el intento*. Debolsillo, 2015 (2012).
- Bonache: *¡Socorro! Somos padres primerizos*. Panini, 2015.
- Delisle, Guy: *Guía del mal padre / Guía del mal padre 2 / Guía del mal padre 3*. Astiberri, 2012, 2014, 2015.
- Gordon, Brian: *Yo molaba hasta que fui padre*. Bridge, 2017.
- Guindel, Mario: *Vas a ser papá*. Pirámide, 2013.
- Paillès, Lionel; Le Goëdec, Benoît: *¡Socorro! Padre novato*. Oniro, 2013.
- Richter, Robert; Schafer, Eberhart: *La guía del padre*. Medici, 2011.
- Romero, Berto, et al.: *Padre, el último mono*. Planeta, 2012.
- Sarramia, Óscar: *Y de repente papá…* Litera Libros, 2013.
- Vesterra, Jorge: *¡Yo soy tu padre! Cómo llevar a tus hijos al lado oscuro*. Timun Mas, 2014.
- VVAA: *Oh My Dad! Porque ellos también cuentan*. Lunwerg, 2016.

Papás Blogueros
Puedes hacerte seguidor de nuestra comunidad de papás blogueros en las redes sociales:
Facebook: https://www.facebook.com/papasblogueros
Instagram: https://www.instagram.com/papasblogueros/
Twitter: https://twitter.com/papasblogueros
Aquí encontrarás el gran listado de papás blogueros realizado por **Joaquim Montaner:** https://joaquimmontaner.net/papas-blogueros/
También puedes seguir a Rafa Esteve (Padre Primerizo) en las redes sociales:
Facebook: https://www.facebook.com/padreprimerizo/
Instagram: https://www.instagram.com/padre_primerizo/
Twitter: https://twitter.com/padre_primerizo